ПАОЛА ВОЛКОВА

ПАОЛА ВОЛКОВА

МОСТ ЧЕРЕЗ БЕЗДНУ

МИСТИКИ И ГУМАНИСТЫ

Издательство АСТ
Москва

УДК [7.03:008](4)
ББК 71.05(4)+85(4)
В67

Волкова, Паола.

В67 Мост через бездну. Мистики и гуманисты / Паола Волкова ; сост. Мария Лафонт. – Москва : Издательство АСТ, 2016. – 288 с. : ил. – (Мост через бездну).

ISBN 978-5-17-093542-0.

Ни одна культура, ни один культурный этап не имеет такого прямого отношения к современности, как эпоха Возрождения. Ренессанс – наиболее прогрессивный и революционный период в истории человечества. Об этом рассказывает Паола Дмитриевна Волкова в следующей книге цикла «Мост через бездну», принимая эстафету у первого искусствоведа, Джоржо Вазари, настоящего человека своей эпохи – писателя, живописца и архитектора.

Художники Возрождения – Сандро Ботичелли и Леонардо да Винчи, Рафаэль и Тициан, Иероним Босх и Питер Брейгель Старший – никогда не были просто художниками. Они были философами, они были заряжены главными и основными проблемами времени. Живописцы Ренессанса вернувшись к идеалам Античности, создали цельную, обладающую внутренним единством концепцию мира, наполнили традиционные религиозные сюжеты земным содержанием.

Настоящее издание представляет собой переработанный цикл «Мост через бездну» в той форме, в которой он был задуман самой Паолой Дмитриевной – в исторически-хронологическом порядке. В него также войдут неизданные лекции из личного архива.

УДК [7.03:008](4)
ББК 71.05(4)+85(4)

ISBN 978-5-17-093542-0.

ГЛАВА 1

«Primavera»

Прекрасный сон Сандро Боттичелли

Имя художника Сандро Боттичелли известно даже тем людям, которые искусством почти не интересуются. Просто оно постоянно на слуху. И, конечно, очень широко известна его картина «Весна» («Primavera»).

Судьба этой картины, которая была написана в 1482 году (посудите сами — более 500 лет назад), необыкновенная. Она разделила трагическую участь Венеры Милосской, «Джоконды», «Черного квадрата» Казимира Малевича, потому что эту картину растащили на цитаты. Ее растащили на календари, на женские платки, на дизайн, растащили целиком, по элементам. И обе великие картины Сандро Боттичелли, которые являются проявлением высочайшего итальянского духа кватроченто, а также гения этого уникального художника-романтика, стали гламурным поп-артом наших дней. Можно полностью уничтожить произведение при помощи вот такой популяризации, но, по всей вероятности, ни «Джоконда», ни «Весна», ни даже Венера Милосская этой ликвидации не подлежат. Хотя, конечно, судьба у этих произведений невероятная. Ведь «Primavera» — это абсолютно элитарное произведение искусства, очень изысканное, оно таит в себе огромное количество стилистических загадок. Эта картина была прославлена в начале XX века, в ней находили основы стиля либерти, то есть раннего модерна, и большое количество разных нюансов декаданса. И вдруг именно это произведение наряду с «Джокондой» становится предметом такой невероятной агрессии. Хотя, пожалуй, эту агрессию можно отчасти понять, потому что картина красива сверх меры, а раз красива сверх меры, то почему бы не поместить ее на абажур, на платок или на чашечку? Короче говоря, судьба этой картины необычна и двусмысленна.

Обратимся к ее изначалью, к тому, как она была написана, что послужило основой для ее написания, кем был Сандро Боттичелли, и чем была его знаменитая картина «Primavera» в те далекие времена, в последней трети XV века. Сандро Боттичелли (или, как его звали, Алессандро Филипепи) родился в 1445 году. По своему рождению, по своему обучению, по своей жизни он был флорентинцем. Для того, чтобы представить себе, что такое Флоренция во второй половине XV века, никакого воображения не хватит, никаких наших самых смелых представлений об этом времени, когда маленький город вскипал гениальностью. Не было поэта, не было писателя, не было художника эпохи Возрождения второй полови-

Собор Санта-Мария-дель-Фьоре. Флоренция, Италия

ны XV века, который не прошел бы через флорентийскую школу. Мастерские художников, кипение жизни, огромное количество приезжих купцов, торговля, политические интриги... И над всем царила династия Медичи. Медичи — не просто просвещенные деньги мира или пример того, что такое просвещенные деньги в культуре. Просвещенные деньги — это когда банкиры, предприниматели делали деньги для того, чтобы дать их тем, кто создает бессмертие. Эти деньги не уходили в карманы бездарям и проходимцам, а служили основанием для творения золотого фонда мировой культуры, золота бессмертия, потому что сами Медичи были такими же великими людьми, как Боттичелли, Микеланджело или Леонардо да Винчи — флорентинцы.

Более всего Флоренция похожа на Париж рубежа двух столетий — это культурный художественный центр мира. Это центр европейской гениальной художественной богемы. И та жизнь, которая кипела во Флоренции в XV веке, равна той жизни, которая кипела во Франции в XIX веке, и особенно на рубеже двух столетий. Все художники всех направлений, все актеры, политические деятели, красавицы, куртизанки, еда, война амбиций, политические интриги, жизнь и смерть, яд и кинжал, любовь — все кипело, все вскипало в этой маленькой чаше.

И Сандро Боттичелли был одним из подлинных центров жизни Флоренции, потому что Сандро Боттичелли был не только великим художником, но он также был придворным. И не простым придворным, он был театральным художником. Он готовил театральные постановки дома Медичи, он оформлял

Лоренцо Медичи.
Бюст работы скультора
Андреа Вероккьо,
1480.

Джулиано Медичи. Портрет работы Сандро Боттичелли

охоты, он оформлял турниры, он был обаятелен, обходителен, он обожал Лоренцо Великолепного, он был членом медицейской Академии, он был практически членом семьи. Но более всего он был другом младшего брата Лоренцо Великолепного, Джулиано Медичи. Все эти люди остались в его творчестве и в его портретах, как в коллективных, так и написанных с натуры. В «Двенадцатой ночи» Шекспира описаны двор герцога Орсино и его отношения с Оливией, и все это точно соответствует тому, что происходило во Флоренции. Джулиано Медичи по законам того времени был отчаянно влюблен в одну очаровательную женщину. В городе любовь была разлита, в городе царила любовь, обязательно кто-то должен быть в кого-то быть влюбленным... что не означало, что послезавтра кто-то кого-то не убьет или не отравит. Гений и злодейство существовали вместе, одновременно.

Младший брат Лоренцо Великолепного Джулиано был другом Боттичелли, или, вернее, Боттичелли был его другом. Это такая же дружба, которая описана в «Двенадцатой ночи», когда Виола изображала из себя мужчину и вместе с Орсино восхищалась красотой Оливии. Все должны были любить красавицу, и этой первой красавицей Флоренции тогда была девушка из Генуи, которую звали Симонетта Каттанео. На ней женился родственник путешественника Америго Веспуччи, и она стала называться Симонетта Веспуччи. Когда муж привез ее во Флоренцию она стала настоящей звездой, эта-

Предполагаемый портрет Симонетты Веспуччи работы Сандро Боттичелли

лоном, идеалом красоты. В честь нее устраивались турниры, охоты, ей сочиняли сонеты, ей все поклонялись. Джулиано был официальным ее воздыхателем, платоническим или не платоническим — это неважно даже, просто он был ее официальным возлюбленным. А все остальные вздыхали и говорили: «Ах, ну какая красавица, какая богиня!» Это же говорил и Боттичелли.

Боттичелли, видимо, уже тогда начал писать эту Симонетту Каттанео Веспуччи. Действительно, она была в центре внимания, и если посмотреть на портреты того времени, то очень многие мадонны, которых писали художники, похожи на нее: эти крутые лобики, тонкие вздернутые бровки, странное выражение лица, в котором нежность, удивление, какая-то женственная сверхчувственность выражены очень сильно. Она действительно была центром придворной жизни, типичного для этого времени рыцарского служения. Конечно, все не сводилось к Симонетте Веспуччи, было очень много мастерских, было очень много политики, было очень много денег, было очень много разных устремлений. Например, стремление Медичи созвать первый экуменический собор: они хотели в конце 40-х годов XV века объединить все церкви, включая византийскую, и создать экуменическое церковное собрание, для того чтобы стать во главе. Они хотели великого могущества и очень хорошо понимали, что это великое могущество достигается через великую гениальность. Есть такой образ — Карл V, подающий кисти Тициану. Но если бы не Тициан, никто бы каждый день не упоминал до сих пор Карла V, для которого писал Тициан. Какие бы ни были Медичи, но их писали великие художники, и им служили во Флоренции. Произошло необычное: меценаты служили художникам, а художники создавали бессмертие для меценатов и для прекрасных дам.

И вот так прекрасно или, может быть, не очень прекрасно, по-своему драматично протекала эта жизнь. Длилось это недолго: Симонетта очень рано умерла, в возрасте 29 лет, от бытовой чахотки. С точки зрения гигиены дело во Флоренции обстояло не так уж и благополучно в силу разных бытовых обстоятельств, но тем не менее прекрасная дама обязательно должна быть далекой звездой. Есть стихи, посвященные ей, а когда ее хоронили, стихи написал сам Лоренцо Великолепный. Во время похорон Лоренцо указал своему другу на далекую звезду и сказал, что ушедшая Симонетта была так же прекрасна, как та далекая звезда.

Однако драматические события развивались свои чередом, и в 1478 году во Флоренции произошло очень странное и очень тяжелое событие. Некто Пацци, которые были одним из самых знатных родов Флоренции, составили заговор против Медичи. Когда они после мессы сходили со ступеней собора Санта-Мария-дель-Фьоре, то есть кафедрального собора, Пацци на ступенях собора хотели убить Лоренцо Медичи, но Джулиано заслонил собой брата. Перед смертью, как говорят, он на этих же самых ступенях собора произнес что-то вроде прощального монолога, в котором сказал, что, наконец, он может жизнь свою отдать за брата своего, за великого человека, а так жизнь его была как бы праздной и пустой. Трудно сказать, так это было или не так, но есть такие сведения. Вообще, мы о том времени не очень много знаем, и знания эти отрывочны. Не надо ссылаться только на Вазари, есть бытописатели более надежные, чем человек, описавший жизни художников Возрождения. Есть еще много источников, но во всяком случае то, о чем мы сейчас говорим, безусловно, было. И вот когда исчезли они оба, когда умерла Симонетта, и когда так романтично и драматично погиб Джулиано Медичи, они превратились в настоящих героев для Боттичелли. Они стали его сном, они стали его наваждением, они стали его уникальными и единственными героями. Он писал их бесконечно. И если при жизни он был другом Джулиано, а Симонетте поклонялся как прекрасной даме Джулиано, то после смерти их обоих места переменились, и Симонетта в его творчестве заняла первое место.

Боттичелли служил женской красоте. Боттичелли был художником-романтиком. Он вовсе не был таким, как все остальные художники Флоренции этого времени. Он был не только учеником Филиппо Липпи, который прекрасно писал образы мадонн и писал их со своей жены. В Боттичелли было какое-то особое ощущение женственности и утраты, и на этом хотелось бы остановиться. Именно после смерти Джулиано, в 1478 году, он пишет свою картину «Весна». Не только тогда, когда ушла Симонетта, а тогда, когда и Джулиано ушел тоже. Для поэта и романтика это имеет очень большое значение. Сандро Боттичелли был первым настоящим европейским поэтом-романтиком, в центре творчества которого стоит любовь и трагическая утрата любви.

Известно, что творчество Боттичелли делится на две части. Первая — когда он был, так сказать, пажом или другом своего герцога Джулиано, и вторая — когда он начал вспоминать, когда он остался без них, когда он начал писать эти картины, когда он написал «Весну». Он был настоящим поэтом, потому что для поэта важна любовь. Он был настоящим поэтом, потому что только через поэта проходит эпоха, трагически проезжается по нему. Только настоящий поэт чувствует эпоху, как никто. Поэты действительно наделены некой интуицией и некой сверхчувственностью, и никто лучше поэта не чувствует времени. Поэтому, может быть, Боттичелли остается единственным художником, который так остро, так трагически понял свое время, выразил его рубежными вещами, праздничными, угарными вещами мечты и сна, какими были «Primavera» и «Рождение Венеры». А потом — переход к таким картинам, как «Покинутая», как «Саломея с головой святого Иоанна Крестителя», как поздние его вещи «Реквием» и «Положение во гроб». Конечно, он был чувствилищем времени и великим поэтом-романтиком. Возможно, он не писал стихов, но он был поэтом-романтиком, который выразил себя в искусстве.

«Весна» — вещь очень многозначительная. Она очень личная, потому что она населена любимыми, дорогими, незабвенными тенями. И она не похожа на другие картины Возрождения, потому что вообще художники эпохи Возрождения — повествователи, они очень любят рассказывать. Конечно, сюжетами для их картин служат Священное Писание или античный миф, ведь это эпоха Возрождения, для которой так много значит античность: античные авторы, античный миф, пребывание внутри античного сознания.

Итальянцы живут на земле античности, из их жил античная кровь не уходила никогда и никуда. Но дело, конечно же, заключается и в том, что они очень переживают и библейскую мифологию: они христиане, это католическая страна. И поэтому художники пишут и то и другое, но они пишут, как люди нового времени. Их мадонны утратили восточный облик, они утратили миндалевидные черные глаза, они утратили тонкий овал лица, они утратили тонкие губы, они утратили тонкие длани рук. Они стали мадоннами, музами художников и поэтов, это было новое время. И поэтому художники эпохи Возрождения рассказывали старые истории на новый лад. Они были настоящими авангардистами, потому что они открыли не только язык нового искусства, но еще и новые способы повествования. Они сами делали себя героями и участниками этой мифологии, они себя чувствовали настоящими героями. Не случайно Давид поставлен Микеланджело в 1504 году на площади Флоренции, он знаменует, что такое человек Возрождения как герой.

Боттичелли совершенно другой. У Боттичелли нет этого героизма. Боттичелли — дегероизированный художник. В нем абсолютно никогда нет чувства мышцы и победы. В нем есть образ любви и поражения. «Primavera» — картина действительно необыкновенная, потому что, когда вы ее видите в Уффици, вы не верите своим глазам — такая это красота. Это очень красивые картины: и «Рождение Венеры», и «Primavera». Не случайно они так растиражированы, не случайно они так размножены, это красота на все времена. XX век обожает эту красоту, это красота особая, немного ущербная. «Primavera» не написана как повествование. Художники эпохи Возрождения показывали драматургию происходящих событий, взаимодействие героев у Боттичелли ничего этого нет. Герои как бы рассеяны по полю картины, они как бы разделены на группы, вовсе между собой не контактирующие. Они как бы тени в каком-то заколдованном лесу, и ни одна из этих теней не касается другой, хотя они и разбиты на группы.

Существует такое представление, что «Primavera» написана по «Метаморфозам» Овидия, но существует и другая версия. Поэт Анджело Полициано написал поэму «Турнир», в которой он воспел любовь Джулиано Медичи и Симонетты Веспуччи. Он нам в поэме «Турнир» рассказал всю эту историю, и не нужен никакой Вазари, не нужны ни слухи, ни сплетни — есть поэма, в которой эта история описана. Поэту Анджело Полициано принадлежит как бы гимн героям Возрождения. Мы дети primavera, мы дети весны. В слове primavera есть не только знак весны как любви. Это как в замечательных стихах Ахматовой:

> А там, где сочиняют сны,
> Обоим — разных не хватило,
> Мы видели один, но сила
> Была в нем как приход весны.

Это соединение темы любви, которая есть в этой картине, с темой весны. Но здесь есть и другая тема — тема Полициано, который написал гимн горшечников: мы дети primavera, мы дети весны. Люди эпохи Возрождения мыслили себя исторически, у них было совершенно другое сознание, чем у людей Средних веков. И именно потому, что они мыслили себя исторически, они вдруг начали друг другу писать письма, начали писать мемуары, воспоминания. Чего стоят только воспоминания Бенвенуто Челлини! Не будем говорить о том, сколько он там наврал, но он написал эти мемуары. Они переписывались, существует переписка, они стали писать и писать очень много. А что значит писать? Писать о себе. Они стали себя осознавать, они стали осознавать себя исторически.

Известна фраза Микеланджело, произнесенная, когда он сделал гробницу Медичи, и ему сказали о том, что Джулиано на себя не похож. Что ответил Микеланджело? Он сказал: «А кто через сто лет будет знать, похож или не похож?» Через сто, через пятьсот лет, кто будет знать, похож или не похож? Он видел себя и через сто лет, и через двести, и через триста, он мыслил себя исторически. Эти люди мыслили себя иначе, они видели себя в истории — не только в истории библейской и не только в истории античной, героической. Они видели себя героями совей истории и подкрепляли свои образы мифологией: и христианской, и античной. Так вот, дети «Primavera» — это дети весны, это жизнь заново.

Картину «Primavera» можно прочитать в нескольких совершенно разных вариантах. Она вообще всегда читается справа налево. Вот, с правой стороны группа из трех фигур. Это холодный ветер — Борей, он хватает руками нимфу Хлою, и у нимфы Хлои изо рта свешивается веточка хмеля. Когда вы подходите к картине, вы поражаетесь тому, что эта ветка хмеля у нее во рту написана так, как будто он ее списывал из ботанического атласа, она совершенно точно соответствует ботаническому виду. Хмель варили, когда все зацветает, это означало, что пришла весна. Появляется эта весна, эти дети нового цикла, дети нового времени, дети новой эпохи, дети primavera.

Боттичелли пишет эту картину как свой бесконечно повторяющийся сон об утрате. Он пишет ее и как человек своего времени. Вся эта картина Боттичелли написана так, как в его время художники не писали. И дело не в том, что она лишена «квадратного» содержания, то есть повествовательности, она очень метафизична. Дело в том, что принцип художественной организации пространства очень необычен. Она написана музыкально, ритмически, весь ее строй музыкально ритмичный или поэтичный очень, а если посмотреть на эту картину, то вся композиция читается справа налево, как музыкальная тема. Три фигуры справа, которые составляют аккорд. Две вместе — ветер Борей и Хлоя. И третья нота, отделяющаяся от них, — Primavera, Весна. Пауза, цезура. Фигура, стоящая отдельно, совершенно отдельно, такой одинокий голос. Над ней царит Купидон — маленький беспощадный бог, конечно же, слепой. Он не ведает, в кого и как он попадет. Но вместе с тем в ней есть такая хрупкость, в ней есть такая зябкость, что она вовсе не похожа на победительницу Венеру, а скорее на Мадонну, возможно, на готическую Мадонну. И она делает странный жест рукой, как толчок, и как бы от этого толчка вдруг еще левее от нее — знаменитый танец трех граций, которые кружатся в этом лесу. Их расшифровывают как трактаты любви, которые приписываются Пико делла Мирандола, философу: любовь — это любовь земная, любовь небесная, любовь-мудрость. И одна без другой не существует. Эти три грации тоже сцеплены с собой. Любовь земная и любовь небесная в сплетении противопоставлены мудрости, мудрость с любовью небесной противопоставлены любви земной, и так далее. Они представляют собой вот эти комбинации во время хоровода, не расцепленного и не соединенного — аккорд, опять три ноты, опять цезура, и вдруг мужская фигура. Это фигура Меркурия. И если все женские фигуры повторяют один и тот же незабвенный образ, образ Симонетты Веспуччи, то фигура Меркурия, несомненно, воспроизводит Джулиано Медичи. Это дань их памяти, и вместе с тем это включение их в высокую философскую концепцию этой картины.

Эта картина написана удивительно не только по метрическому и ритмическому строю, своеобразным аккордом, который можно бесконечно продолжать. Вся ее композиция держится на ритме, она держится не на повествовательном содержании, не на повести, а именно на том, на чем держится музыка и поэзия, — на ритме. Но самое поразительное, конечно, то, как Боттичелли писал эти струя-

Сандро Боттичелли. Весна. Фрагмент. Танец Граций. 1478. Галерея Уфицци, Флоренция

щиеся одежды, завивающиеся в разный орнамент, как будто вода стекает с тела. На это стоит обратить внимание, потому что тема тела и драпировки — это тема и античности, и Средних веков. Для античности драпировка всегда подчеркивает чувственное начало в теле: она всегда не просто сама по себе играет, она подчеркивает движение, силу, чувственно-мышечные начала. А в Средние века эти драпировки, которых очень много, скрывают тела, делая их бестелесными. Но вот у Боттичелли эти линии стекают вертикально, завиваются, извиваются. Они делают то, что делает античная драпировка, то есть подчеркивают тело, и в то же время делают то, что делала средневековая драпировка, которая как бы ликвидирует тело, делает его внечувственным. Они никогда не наступают на землю, они парят на вершок над землей. Это необыкновенно изысканные, прекрасные романтические образы, написанные художником вне времен и народов. Боттичелли был художником итальянским, флорентийским, художником Возрождения XV века. Как он писал линию, как он писал музыку линии! Это не только невозможно повторить, это даже невозможно описать словами. Правильно о нем всегда пишут, что он непревзойденный поэт линии. Сколько ни смотри на трех граций, на эти прозрачные драпировки, совершенно непонятно, как они написаны, как написаны эти тела, касающиеся и не касающиеся земли, теневые и полные чувственной женственной прелести.

А все пространство между этими линиями, между этими ритмами, заполнено каким-то божественным орнаментом деревьев. И как интересно живут эти деревья! Если вы будете смотреть справа налево, то вы увидите, что деревья справа — голые, на них нет ничего, они еще не распустились, на них нет даже еще листвы. Потом в том месте, где возникает Флора — сама весна, они начинают давать плоды, они уже цветут. А там, где стоят Мадонна (или Венера, тут уже трудно сказать) и три грации, на деревьях вдруг одновременно и цветы флердоранжа — образ свадеб, любви, и большие оранжевые плоды. И вот левая фигура, фигура Меркурия, одетая в плащ. На нем шлем, он поднял вверх свой волшебный жезл кадуцей и как бы касается деревьев, как бы гасит их. Считается, что здесь еще есть период полгода, ровно полгода — с марта по сентябрь. Март — это когда начинается цветение хмеля, начинается primavera, и вступает новый цикл жизни. А когда Меркурий своим жезлом касается дерева, гаснет лето, гаснет пора расцвета, и наступает осень. Меркурий гасит пору цветения в сентябре. Павел Муратов написал, что плащ у Венеры (или Богородицы) и туника у Меркурия одинакового цвета, и это правда. Туника орнаментирована очень мелким рисунком из погасших факелов, которые повернуты вниз пламенем. Это означает, что их больше нет, они ушли.

Сандро Боттичелли.
Весна. Фрагмент. Флора.
1478. Галерея Уффици,
Флоренция

В этой картине очень высокая интуиция, чувствительность, художественное наваждение соединены с большим интеллектуализмом. Это интеллектуализм построения, интеллектуализм исполнения, а соединено это все очень органично. Точно так же, как есть двойственность эмоционального ощущения или двойственность эмоционального начала, это чувство одиночества в каждой фигуре. Каждая фигура очень одинока, очень замкнута на самой себе. Это состояние абсолютного одиночества, покинутости — оно не было характерным для эпохи Возрождения ощущением мира, это, скорее, было свойственно очень чувствительной поэтической натуре самого Боттичелли. И в его женщине, в этой Симонетте Веспуччи, и в его героях живут всегда одновременно два чувства: чувство цветущей мощи жизни, женственной прелести, и вместе с тем предчувствие смерти. Как писал Заболоцкий о Струйской — «предвосхищенье смертных мук». Вот это соединение одного с другим делало эти образы особенно привлекательными, и особенно в начале XX века. Это соединение двух загадок, как писал Заболоцкий:

Полувосторг, полуиспуг,
Безумной нежности припадок,
Предвосхищенье смертных мук.

Это очень подходит к тому двойственному состоянию, которое передает нам Боттичелли, и которое так внятно людям XX века. Вообще, резонанс Боттичелли в культуре XX века огромен. Судьба его была очень тяжела, потому что после смерти Лоренцо Великолепного, которая последовала в 1496 году, и особенно после сожжения Савонаролы, которое последовало в 1498 году, он, по всей вероятности, просто стал безумен. Говорят, что он был забыт уже при жизни. Очень горевал по нему Леонардо, который особым сочувствием к людям не отличался, мягко говоря. Он описывал, как шел по Флоренции и увидал человеческую фигуру, похожую на птицу, распластавшуюся на деревянном заборе. И он никак не мог понять, кого она ему напоминала, и прошел мимо. И только тогда понял и написал: «Это же был мой Сандро». Вот в этих словах — «мой Сандро» — в этом любовь и нежность Леонардо, которые не были ему свойственны. Боттичелли любили все: он был очень славным, хорошим человеком, говоря обывательским языком, то есть комфортабельным, толерантным и очень ни на кого не похожим художником, видимо, далеко заглядывающим вперед.

В искусстве XX века есть один художник, которого мы можем назвать не учеником, но очень глубоким последователем Боттичелли. Стиль Боттичелли, его образ постоянно мелькают, даже в песенках Вертинского они есть. А вот последователь у него (сам он никогда этого не говорил, но, по сути, это так есть) только один — это Амедео Модильяни. Образы Амедео Модильяни очень близки образам Боттичелли. Модильяни — итальянец, флорентинец, окончивший флорентийскую Академию. Он как никто знал и вещи Боттичелли, и его иллюстрации к «Божественной комедии». Но дело не в этом, а дело в том, что Модильяни, так же, как и Боттичелли, — великий поэт линии. Все его фигуры — не просто очерченные, форма как бы создается через линию. Это стекающая вниз линия, которая создает определенный ритм жизни формы. И у него не только есть эта магия ритма, которая так характерна для Боттичелли, не только определенное чувство музыкальности, но даже по внутреннему состоянию он очень близок Боттичелли. Эти его глаза без зрачков, эти длинные вытянутые шеи, покатые плечи — как напоминают они Симонетту... А самое главное — во всех его вещах есть та же самая интонация глубокого и абсолютного одиночества, которая свойственна Боттичелли. Он как-то чувствовал это, как большой художник — эту чувственность, сверхчувственность, это одиночество и что-то еще. Это одинокий голос. Он даже по своему эмоциональному настрою, по своему эмоциональному миру необыкновенно близок Боттичелли. Этому никогда не уделяли достаточного внимания, но это так. Модильяни — подлинный последователь Боттичелли, сознательный или бессознательный, об этом трудно судить. Художники не всегда называют своих отцов.

Боттичелли оставил нам очень интересный автопортрет. Он написал картину, которая называется «Поклонение волхвов». В этой картине перспективная точка сходится на месте, которое называется ясли или вертеп. Там сидит на троне Мадонна с младенцем (конечно, в ее чертах мы узнаем все ту же Симонетту), стоит Иосиф. Справа и слева расположены члены семьи Медичи. Справа — Лоренцо и его двор, слева — Джулиано и его двор —

мы их узнаем, мы узнаем старого Козимо, и даже их предка Джованни ди Биччи, мы узнаем героев медицейской Академии. Мы видим этих людей, и у самого крайнего правого края картины стоит человек в желтой тоге, в желтом плаще, в рост сверху донизу. Он стоит у самого края картины и смотрит на нас. Практически это единственная фигура, которая обращена к нам, которая смотрит на нас, — это и есть автопортрет Сандро Боттичелли. Он смотрит на нас, потому что наши столетия, текущие мимо, соединяются. Собственно говоря, это автопортрет любого художника. Любой художник так или иначе нас, зрителей, соединяет со своим временем, делает нас причастными к своей эпохе. Он творит нашу память и творит свое бессмертие, да и наше бессмертие заодно.

Автопортрет Боттичелли — исключительная вещь именно потому, что это автопортрет внутри картины. Все-таки тогда, в середине XV века, такая вещь, как помещение своего автопортрета внутрь картины или вообще отдельно, еще не была распространена. Это была очень большая редкость. Потребность в автопортрете начинается несколько позднее, и это один из самых первых и подробных автопортретов. Это автопортрет в рост, он не погрудный и не профильный. Он подробный, потому что Боттичелли рассматривает самого себя как личность, отстраненно, он как бы размышляет сам о себе: кто он здесь, и зачем он здесь. Он показывает, с одной стороны, себя внутри очень определенной картины — это «Поклонение волхвов». И это семья Медичи, он показывает, что был частью этой семьи. Он вписан в той части, где изображены портреты Академии Медичи. Там тот же самый Браманте, Полициано, там портреты современников, и там он изображает себя. То есть он себя показывает в семье, в Академии Медичи, потому что они сидели всегда как бы за одним столом. Он говорит: «Я жил, вот я, Сандро Боттичелли, я был членом этой семьи, я был членом этой группы, я был придворным Медичи, я был другом Медичи, я был членом Академии Медичи. Был и не был. Я только частично был. Но на самом деле я — мост». Почему мы говорим «мост над бездной»? Вот портрет человека, который чувствует себя этим мостом, перекинутым над бездной: два космоса соединивший мост. Потому что он смотрит на нас, потому что идут века, и мы проходим мимо этой картины.

Эта картина недавно была на очень большой выставке в Лувре, посвященной дому Медичи. Там было представлено «Поклонение волхвов»: когда смотришь на автопортрет Боттичелли, удивительно, как он выпукло соединяется с общей композицией — друзья Академии, семья, и вместе с тем, как он отделен в правой нижней части от всего этого. И как он смотрит на нас: он обращен только к нам, это человек с историческим сознанием. Через него пройдет время. Это великий автопортрет, свидетельствующий о глубочайшем уме, глубочайшем осознании своей миссии и о том, что это человек, мыслящий себя исторически, отстраненно от себя. Кто еще изображен на этой картине, помимо самого художника? В левой части картины — Джулиано, он стоит, немного выставив

Сандро Боттичелли
Поклонение
волхвов. Фрагмент.
Предполагаемый
автопортрет.
1465—1467

ногу, он там невысокого роста, хрупкого телосложения. Справа стоит Лоренцо, и он очень хорошо виден. Там еще два человека, которые близко к трону Мадонны, это, вероятно, предки дома Медичи, там изображены и Козимо, и Джованни ди Биччи, основоположник банкирского дома. Тогда было так принято: художники изображали людей, находящихся в их окружении сейчас, и тех, кто составляет историю этого дома. Что же касается членов Академии, изображенных на картине, то не все отождествлены.

Надо сказать об этом автопортрете еще очень важную вещь. Сандро Боттичелли находится одновременно внутри двора Медичи, он придворный,

Козимо Медичи. Бюст работы скульптора Бенвенуто Челлини

он среди придворных, и в то же время он находится вне двора. До какой степени точно он осознает эту двойную позицию! Художник — он внутри своего мира, и он мыслит себя как друг, он мыслит себя как часть этого мира, а вместе с тем он отлично понимает, что он вне этого мира, что он мост через бездну. Здесь надо обратить внимание на то, сколько раз на протяжении XV века, или кватроченто, во Флоренции была написана тема поклонения волхвов. Не было ни художника, ни скульптора — никого, кто не написал бы «Поклонение волхвов». Эта тема продолжалась до бесконечности, она не может не продолжаться, она продолжается и до сих пор. Как Каспар, Мельхиор и Бальтазар, три великих волхва, пришли первые, но после пастухов, в ясли. Пришли принести дары младенцу и принести ему злато и бальзам вечности — умащивающее средство, мазь. Во Флоренции XV века художники часто пишут этот сюжет, это какое-то общее место, каждый должен это сделать. Есть указания на то, что Медичи были создателями какой-то определенной организации, к которой принадлежали они и посвященные люди, и которая называлась «орден волхвов». Именно орден волхвов, потому что они чувствовали себя волхвами. Волхвы — первые, кто пришли возвестить новую эпоху, кто пришли возвестить новое время. Мы уже говорили о том, что они чувствовали себя исторически, это были первые люди с сознательным историческим мышлением, и они действительно пришли, чтобы возвестить новую эпоху. С них новое время и началось.

Между двумя картинами, «Primavera» и «Рождение Венеры», конечно, очень большая связь, хотя бы потому, что они были выполнены как диптих: по замыслу художника одна картина была как бы продолжением другой. Сначала Венеру встречают — Флора на берегу, она выходит из раковины, и потом начинается эта тема весны. Но дело не в том, какая картина больше известна, а в том, что вся полнота философских, поэтических, художественных, каких-то еще очень собственных внутренних интимных мыслей более широко развернута в «Primavera», чем в «Рождении Венеры». В «Primavera» мы видим сразу большое количество слоев. Там есть очень интимная, очень

Сандро Боттичелли. Весна. 1478
Галерея Уффици, Флоренция

Сандро Боттичелли
Весна (фрагмент)

Сандро Боттичелли
Весна. Флора (фрагмент)

Сандро Боттичелли
Рождение Венеры.
Венера (фрагмент)

Сандро Боттичелли
Весна. Танец граций
(фрагмент)

Сандро Боттичелли, Рождение Венеры. Зефир и Хлорида (фрагмент)

Сандро Боттичелли
Весна. Зефир и Хлорида (фрагмент)

Сандро Боттичелли
Рождение Венеры. 1485
Галерея Уффици, Флоренция

Амедео Модильяни
Жанна Эбютерн, 1919
Чикагский институт искусств, Иллинойс, США

Амедео Модильяни
рисунки

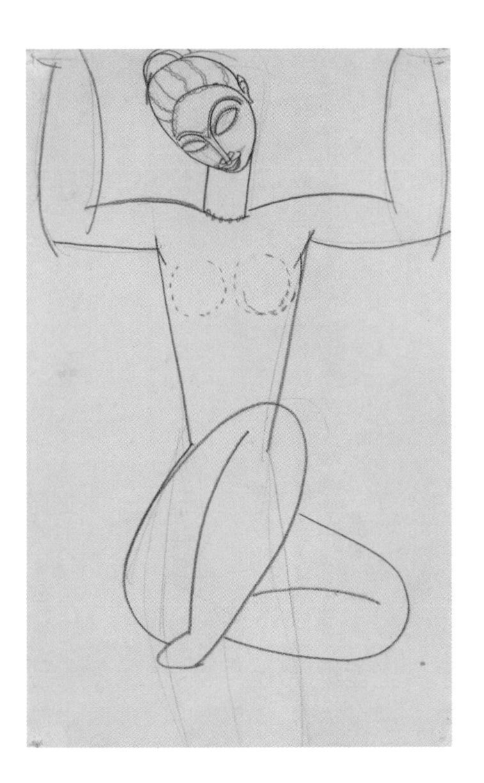

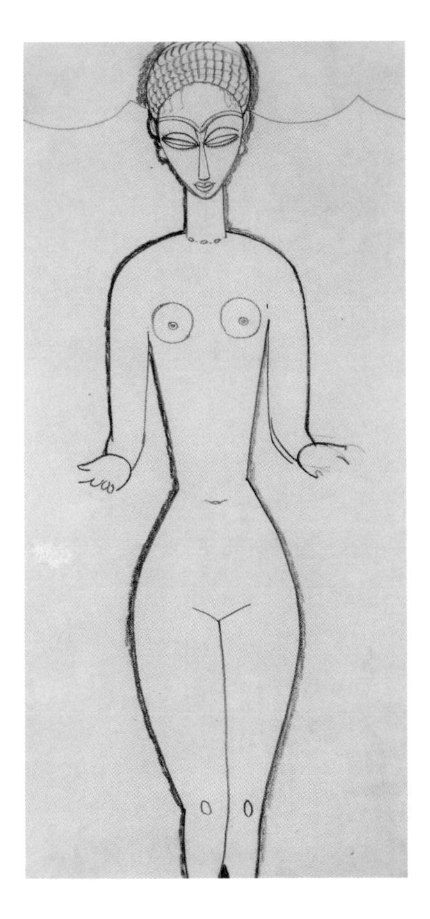

Сандро Боттичелли
Оплакивание Христа, 1490–1492
Старая пинакотека, Мюнхен

Сандро Боттичелли. Клевета
1495
Галерея Уффици, Флоренция

Сандро Боттичелли
Благовещание. 1490–1500
Гайд Коллекшен, Глен Фолс, Нью-Йорк

Сандро Боттичелли
Поклонение волхвов. 1475–1476
Галерея Уффици, Флоренция

Сандро Боттичелли
Покинутая, 1496
Собрание
Роспиглиози, Рим

Сандро Боттичелли
Саломея с головой
Иоанна Крестителя,
фрагмент, 1488
Галерея Уффици,
Флоренция

Джорджо Вазари
Автопортрет. 1566–1568
Галерея Уффици, Флоренция

Фра Филиппо Липпи
Автопортрет (деталь фрески)
1467–1469
Сполетский собор, Италия

Филлипино Липпи

Автопортрет (деталь фрески), 1481–1482

Капелла Бранкаччи, Санта-Мария-дель-Кармине, Флоренция

Собор Санта-Мария-Новелла, Флоренция

Базилика Санта-Кроче, Флоренция

Флоренция

Купол собора
Санта-Мария-дель-Фьоре

Барджелло – старейшее общественное здание Флоренции, ныне – музей

Платоновская академия в Кареджи. Фотография sailko/Wikimedia Commons

Коридор Вазари во Флоренции — крытая галерея, соединяющая Палаццо Веккьо с Палаццо Питти, ныне — картинная галерея

Галерея Уффици, Флоренция

Внутрений двор. Галерея Уффици, Форенция

глубокая нота. Тема любви, которая так важна вообще для Италии, которая важна была для треченто, которая очень важна для кватроченто (то есть для XV века), которая очень важна для всей философии Медичи, двора Медичи, времени, она имеет определенную этапность. Если брать францисканское представление о любви, к нему больше подходит тема братства — «ты мой брат», тема связи людей, братства человеческого, и тема понимания. А уже в преломлении идей кватроченто, или идей XV века, это больше тема чувственной любви, тема любви к прекрасной даме, любви между мужчиной и женщиной. Это вообще всепоглощающая любовь, она имеет все оттенки: она имеет оттенок и платонический, и оттенок одиночества, и чувственный, и оттенок союзности. Так вот в «Весне» как раз есть все эти оттенки. Это была главенствующая тема при дворе Медичи, при любом рыцарском дворе, в культуре, где прославляется прекрасная дама, где идея прекрасной дамы была соединена точно с именем Симонетты Веспуччи, с именем Джулиано или Лоренцо Медичи, с именем Анджело Полициано, который пишет поэму «Турнир». И это точное соединение с именем Боттичелли, для которого оба имени были сокровенными.

Джулиано Медичи, младший брат Лоренцо Великолепного, был идеальным рыцарем своего времени, как описывают его историки, и как описывает его молва. Он никогда не скандальничал, не сударил со своим братом, не делил с ним ничего, он был прекрасным братом и был идеальным рыцарем. Он осуществлял ту функцию при дворе Лоренцо Великолепного, которую сам Лоренцо и очень многие другие люди выполнить не могли, потому что они были заняты политикой и делами, а он был золотой молодежью. Его занятием были охоты, турниры, праздники, любовь. Он был, как мы уже говорили, очень похож на герцога Орсино из «Двенадцатой ночи», такого же типа молодой человек. Что же касается Лоренцо Великолепного, то можно сказать определенно, что он был личностью такого же масштаба, как Боттичелли, Леонардо, Микеланджело, Рафаэль, Браманте или Карпаччо — это была гигантская личность эпохи Возрождения, гений своего времени. Он был менеджером и организатором этого процесса, он был его механизмом, без него взаимодействие всех этих частей было бы просто невозможно. Нам очень трудно сейчас понять вообще, а что это такое было? Ведь нам никто не может ответить на этот вопрос, книги на эти вопросы не отвечают: ни что это такое было, ни откуда это взялось. Но мы знаем наверняка, что одна из самых серьезных причин возникновения Ренессанса — просвещенные деньги, то есть деньги, вложенные в гений. Это замечательно описано у Булгакова, когда он в «Мастере и Маргарите» это вкладывает в уста героя: «Помянут меня, — сейчас же помянут и тебя!» Вот их помянут — и его помянут. Это то же самое, что Карл V, который давал кисти Тициану: это он подает кисти Тициану, это Тициан его помянет, и мы будем вспоминать его столько раз, сколько мы будем видеть картины Тициана. Это люди, которые знали, что их бессмертие зависит от этого гения, от этой реализации, и в этом была их собственная гениальность. Ему не жалко было вкладывать деньги в бессмертие, он менял деньги на бессмертие.

Сформулировано несколько вульгарно, все было тоньше, потому что эпоха была заряжена полярностью. Вообще, ничего никогда не бывает однозначно. Да, Лоренцо сам был талантливым поэтом, он сам был высоко одаренной и утонченной художественной натурой. Да, ему Академия и эти люди нужны были не только потому, что он свои деньги менял на бессмертие, он был часть этой среды. Он свою лепту вносил в эту среду. Но таким же был его отец, его звали Пьеро Подагриком, он очень рано умер от подагрической болезни, которой, собственно, страдал и Лоренцо. И такой же был его дед Козимо. Пьеро Подагрик во главе дома Медичи стоял очень недолго, и Лоренцо Великолепный наследовал своему не менее гениальному деду, которого звали Козимо, и не менее гениальному прадеду, который был отцом Козимо. Это была династия, узурпировавшая, к счастью для эпохи и для Флоренции, власть во Флоренции, и Лоренцо, может быть, был наиболее яркой личностью, вершиной. Но вся династия Медичи (ведь все-таки Лев X был папой) — про них нельзя сказать, что они только покупали эти должности или только делали карьеру. Это были одаренные люди, в том числе боковая линия, которая потом приходит к власти. Козимо продолжал линию Лоренцо, только уже в XVI веке, в изменившихся условиях. Не надо забывать, что Вазари, который оставил нам первый сводный гениальный труд, жизнеописание замечательных художников, сам был художником: в Барджелло можно видеть его фрески, и он построил ту улицу, на которой находится галерея Уффици. Эта эпоха продолжалась. Здесь и личность, и традиция, связанная с традициями семьи, и, конечно, эпоха, которая была цементом, — все это было перемешано и создавало великолепный прочный художественный материал, который мы сейчас называем историей искусства, культурой.

А что за человек была Симонетта? Этого никто не знает. С большими сложностями была установлена ее личность: то, что она была из Генуи, и на ней женился племянник или сын Америго Веспуччи, путешественника. Известно, что она была женщиной необычайной красоты и была прекрасной дамой во Флоренции. Она была не субъектом, а объектом. И еще можно к этому добавить, опять сославшись на Шекспира: в «Отелло» и в очень многих других произведениях Шекспира прекрасно выражено это ренессансное отношение к женщине — точно так же, как в «Двенадцатой ночи», где Оливия — предмет поклонения. Женщина — предмет поклонения, но она закрыта перед ними, познание внутреннего мира женщины не в традициях времени. Это восхищение, это желание, но отнюдь не познание. Отелло совершенно не волнуется внутренним миром Дездемоны, он совсем ее не понимает. Он обманывается все время. Он обманывается в Яго только потому, что тот — функция, он его адъютант, он спал с ним в палатке, он его охранник, он охраняет его сон. Заподозрить в чем-то человека, который имеет эту функцию, просто невозможно, в голову никогда не придет. А кто для него Дездемона, он очень хорошо объясняет в монологе — возлюбленная, дочь, утеха, но его абсолютно не интересует, что внутри этой шкатулки. Нет, его интересует ее функция, ее внешняя форма.

Очевидно, такова была система отношений. Хотя, конечно, были удивительные женщины, такие как

Галерея Уффици, Флоренция

Виттория Колонна, которая была единственной любовью Микеланджело, великая поэтесса, очень умная женщина. Сохранилась переписка Микеланджело и Виттории Колонны. Значит, она была великая женщина того времени, необыкновенная умница. Была мать самого Лоренцо Великолепного, мы знаем о ней, потому что сохранились ее письма отцу Лоренцо, Подагрику, и эти письма опубликованы. Сохранились ее письма, когда она ездила в Рим выбирать, например, Лоренцо Великолепному невесту. Она обсуждает с ним в письмах дела семейные, детей, как она выбирает невесту, как она видит этих женщин, и понятно, что это очень глубокая и умная персона. Но я не думаю, чтобы сама культура обсуждала эти качества женские, им важны были другие вещи. Это видно также у Тициана: мужчины — личности, а женщины — красавицы, Венеры.

А смерть от чахотки — это было очень широко распространенное явление. Когда вы читаете Буркхардта, замечательную книгу «Культура Италии в эпоху Возрождения», то вся эта эпоха предстает немного в другом свете. Например, то, как они мылись, на каком уровне была у них гигиена, какие у них тяжелые были платья, сколько раз они меняли рубашки, которые надевались под тяжелые женские платья и мужские камзолы, как они следили за собой. Гигиена не была сильной стороной того времени, все было довольно запущено.

Но самым неприятным с точки зрения гигиены была посуда. Потому что они ели из посуды, которая очень плохо мылась, которую трудно было хорошо вымыть. Они пили очень часто все из одного

Виттория Колонна.
Портрет работы
Себастьяно дель Пьомбо

кубка. И люди этого времени, к сожалению, страдали болезнями венерическими, инфекционными, и почти все прекрасные дамы, самые прекрасные дамы, какая-нибудь там Лаура или Симонетта Веспуччи, обязательно подхватывали чахотку или какую-нибудь другую гадость. Мы с вами видим приемную эпохи Возрождения, мы с вами видим культуру на котурнах, мы не смотрим на нее с другой стороны, мы не заглядываем внутрь нее — с точки зрения того, на каком уровне была медицина, на каком уровне была гигиена, как они мыли посуду, как часто они переодевали рубашки, как часто они купались и так далее. Поэтому вполне обычное дело то, что эта прекрасная дама подхватила где-то чахотку, а может быть, не чахотку, а какую-то другую болезнь — от своих мужчин, которые вообще были весьма неразборчивы, ходили по разным походам, палаткам — эта сторона была сложна. Ее лучше не касаться.

Был ли Боттичелли в нее влюблен, как в женщину? Для искусства это совершенно не важно, и на этот вопрос очень трудно ответить. Как это можно знать? Ты влюблен, как в женщину или как в какую-то мечту или идею? Как это можно обсуждать? Если влюблен, как в женщину, то разве это обязательно жажда обладания? Не случайно это время очень хорошо разделяло две вещи: любовь земную и любовь небесную. Даже у Тициана есть такая картина «Любовь земная и любовь небесная». И это все-таки одна и та же модель у Тициана сидит. Вот только в первом образе она одета и предъявлена как любовь земная, избыточная, шикарно одетая, а во втором — как любовь небесная, спокойная, в белом платье, с безмятежным лицом. Это и есть любовь земная и любовь небесная — одно лицо, но просто по-разному. Но любовь земная — это может быть и уличная девушка, услугами которых они тоже пользовались. У них запросто случались и отношения с мужчинами... какая разница? Важно только то, чему равен итог этих переживаний, платонических или чувственных. Она была его музой, она подстегнула его гениальность, и в этом главное.

Определенность в этих вопросах вовсе не нужна. Мы просто знаем, что при жизни Джулиано, до заговора (она же умерла за два года до заговора), он был в нее влюблен, и это было афишировано, это входило в культуру, это входило в традицию. Она сидела на турнире, в ее цвета были одеты люди, выступающие на турнире, в ее цвета была одета свита

Джулиано, он говорил: «Посмотрите, как она прекрасна!» И все говорили: «О, как она прекрасна! Это самая прекрасная женщина в мире, это богиня!» Они все обязаны были быть в нее влюблены, потому что они были то ли друзьями, то ли вассалами князя. Не исключено, что кто-то из них и был в нее влюблен. Но как высокий поэт, как утонченный художник, по всей вероятности, Боттичелли испытывал чувство гораздо более глубокое. Впечатление она на него производила, вероятно, необычайно сильное. Вот почему после ее смерти она занимает все его внутреннее пространство, она абсолютно в нем располагается и становится предметом его сна на всю дальнейшую жизнь. Это вот такой феномен любви.

Писал ли он ее до ее смерти? На этот вопрос трудно ответить. Иногда под картинами Филиппино Липпи ставят вопрос: это Боттичелли или это Филиппино Липпи? Гирландайо написал большую фреску, связанную с семьей Торнабуони, и часть этой фрески находится в Лувре, и внизу написано Боттичелли, но это не Боттичелли, это Гирландайо. А иногда пишут, что Гирландайо — Боттичелли. Происходит такое смещение: именем Боттичелли подписывается целый ряд других художников. Именем Боттичелли называются картины, которых он не писал. И не потому, что подделывают, а потому, что точное авторство установить сложно. Это были мастерские, это были какие-то заказы, но что интересно — тип женский повторяется, он один и тот же.

Такое впечатление, что Филиппино Липпи то ли ее писал, то ли кого-то еще. Это прекрасная дама своего времени: густые золотые волосы, украшенные драгоценностями, выбритый выпуклый лоб, немного вздернутый уточкой нос, остренький подбородок, чуть впалые щеки, огромные синие глаза, покатые плечи, печальная задумчивость во взгляде и вместе с тем необыкновенно манкий, чувственный внешний облик. Каждая эпоха предлагает нам свой тип красавицы. Мы сейчас называем их словом «звезда». За примерами не будем ходить далеко: очень был моден в кино тип Марины Ладыниной, или Мэрилин Монро, или Греты Гарбо — все хотели быть на них похожи. Женщина отказывается от себя, она хочет быть как Мэрилин, блондинкой с большим бюстом — это круто, это модно. И так было всегда. Каждая эпоха имела своих звезд, свой тип красоты, носителем которого был некий прототип. Вот таким прототипом была то ли Симонетта Веспуччи, она очень точно попадала в этот прототип, то ли еще какая-то женщина, связанная с домом Липпи. Но это был тип, который был признан типом модной и прекрасной женщины. Ведь в каждую эпоху такой тип всегда существовал и существует. Можно ли сказать, что она была носительницей исключительных качеств? Да, судя по всему, это так, но здесь есть еще и момент моды на такую внешность: или волнение, которое вызывает этот образ, или она соответствует каким-то эстетическим нормам времени. Тут комплекс признаков. Так было и в античном мире, были знаменитые гетеры, которым подражали, так было в Средние века, так было в XVIII веке — какая-нибудь мадам Помпадур, которая была эталоном, все подражали ее каблуку, ее росту, ее прическе. Это естественно. Или когда Тициан ввел в моду свою дочь Лавинию, которая стала идеалом венецианской красоты, просто совпала с ним. Это ответ очень банальный, но дело обстояло именно так.

После смерти Симонетта становится прекрасной дамой Боттичелли. И вот во всей полноте, в объяснительности того, что это есть мечта, есть сон, что их уже нет, что они давно ушли, что они воплощаются во сне, но жизнь во сне и этот свой сон он может запечатлеть на полотнах, обе картины прекрасны. Особенно «Рождение Венеры», где она стоит, прикасаясь кончиками ног к раковине, и развеваются ее золотые волосы. Это фрагмент картины, который сам по себе становится отдельной картиной и многократно репродуцируется. Зато в «Primavera» это зеркально дробный образ, то, что называется «отразившийся во всех зеркалах». И в зеркале Хлои, которая бежит от Борея с этим цветком хмеля в зубах. И в Флоре, которая приходит и становится Весной, которая в платье похожа на какую-то утреннюю птицу. Она входит в этот мир, и у нее платье заткано цветами, и из подола своего она разбрасывает цветы, и эти цветы становятся цветами земли. И самое интересное: поскольку Хлоя бежит с веточкой хмеля, весна хмельна, и тема весны связана с темой хмеля, который варят, и хмеля, который в крови. Поэтому у нее лицо сомнамбулы, немного пьяные глаза, плывущие, такая неопределенная, странная улыбка скользит на лице, и эти руки, кривенькие ножки... В ней такая бездна женственности, прелести, манкости, которую в искусстве, и старом, и современном, больше ни одному художнику не удалось с такой полнотой нам отдать. Центральная фигура, которую отличают особая застенчивость и зябкость, — то ли Мадонна, то ли Венера, то ли Богородица, над головой которой парит Купидон, с этим странным жестом, вялым и застенчивым, и, конечно, тремя грациями, которые как бы развивают тему Флоры. Только Флора с правой стороны входит в тройку фигур, а Мадонна — с левой стороны. И вот они стоят такими бесплотными и плотными, внечувственными и чувственными, и, как сказали бы современные кинорежиссеры, сверхчувственными фигурами. Фигурами, в которых как бы чувственность исчезла, но проявляется с наибольшей полнотой и неуловимо. Это невероятно, это мог сделать только Боттичелли, и это невозможно объяснить или описать — и струящиеся ткани, и владение линией. Разве можно описать дуновение гения? Нет.

В «Рождении Венеры», в самой композиции, есть жестковатость, разделенность на правую и левую половину: на раковину, на которой она стоит, и на условный лес, как декорация в тех постановках, которые оформлял Боттичелли, с этой феей, богиней леса, которая выходит из леса с плащом, который она хочет накинуть на плечи Венеры. Там жестковато эта композиция разбита, она несколько угловата. А вот вся композиция в «Primavera» — это сплошная музыка, просто музыка. Музыкой воспринимается это разделение на группы: три-один, три-один — как будто нотный стан перед тобой. Музыка в драпировках. Вообще, в драпировках музыка есть всегда. Это еще греки знали, и поэтому они работали с драпировкой как с формой музыкально-пластической, где музыка и пластика объединены. Поэтому и философская неоплатоническая тема любви, и весь хмель двора Лоренцо Медичи, и трагическая мечта снять зазеркалье Боттичелли — они, конечно, полностью выражены только в картине «Primavera».

Какая музыка адекватна той музыке, которая звучит в картине «Весна»? Во-первых, та музыка, которую они исполняли сами. Их концерты показаны на картинах очень многих художников. Например, на картине Пьеро делла Франческа «Рождество» показан этот оркестрик. Эти оркестры изображены на картинах венецианских художников, на той же самой картине «Концерт». На очень и очень многих картинах показаны эти концерты. Что это за концертная музыка? Время великих композиторов еще не настало. Если время великих композиторов в искусстве, то есть великих мастеров больших симфонических композиций в живописи, настает в XIII – XIV веках, то музыка настоящая, оркестровая, концертная, появляется в XVI веке в Венеции, это страна музыки. Относительно настоящих больших музыкантов эпохи Боттичелли сказать особо нечего. Но те инструменты, на которых они играли, и то, как они сидели, и то, как они исполняли, все это дает вам возможность как-то судить о той музыке, которую они играли. Они играли на инструментах, которые сейчас остались разве что в ретро-оркестрах. Например, один инструмент называется виола, виола д'амур, виола да гамба. Виола — это очень маленькая виолончель или очень-очень большая скрипка, которая ставилась перед ногами. Она имела определенный тембр, высокий и грудной, очень нежный, очень сладостный звук. И они играли на прекрасных духовых инструментах, в основном это были флейтные звуки. Вероятно, это сочетание нежных струнных и духовых инструментов создавало такую печальную и сладостную музыку. Наверное, она замечательно звучала бы, если бы ее найти. Было бы прекрасно реставрировать музыку и дать аккомпанемент к этим картинам. Автору довелось слышать концерт в Париже в залах музея Мармоттан-Моне, в залах импрессионистов, когда оркестр исполнял музыку Равеля и Дебюсси, музыку импрессионистов. Это было удивительно: картины начинали петь, звучать и дышать иначе. И было бы замечательно воспроизвести ту музыку, которую Боттичелли слышал и которой руководствовался, когда писал эти картины.

Вообще, его творчество необыкновенно неровное. Очень большое впечатление производит «Пьета», одна из его поздних картин. По репродукции не понять, что она так прекрасно написана, что она такая совершенная по форме, и что вместе с тем она такая трагическая и энергетическая. Изломанное тело, такое молодое, но оно сломлено пополам... То ли это оплакивание юного погибшего бога, то ли это оплакивание Лоренцо, то ли оплакивание Джулиано, то ли оплакивание того времени, которое было для него всем — его жизнью, его дыханием, его дружбой, его любовью, то ли оплакивание Савонаролы, этого безумца... Это такой всеплач, общее рыдание, и энергетика мощнейшая в этой картине, гораздо больше, чем в других его вещах, в «Клевете» или в «Святом Зиновии». Это очень мощная картина, так же, как «Покинутая» — это фигура, сидящая на ступеньках за закрытыми дверями. И все — жизнь кончилась, двери закрыли и лоскут синего неба там за стеной. Никогда уже двери не откроются, и никогда уже ничего не вернется. Это очень трагический финал. И все-таки из всех картин, наверное, именно «Весна» производит самое мощное и глубокое впечатление. В искусстве очень важно, когда ты сказал все и не сказал ничего. Боттичелли сказал в этой картине все. И показал эту фигуру Меркурия, и показал этот отрезок жизнедеятельного времени природы — полгода, когда все начинается с марта и кончается сентябрем, когда только начинают расцветать деревья, и вот, уже все они опадают, уже Меркурий гасит их цветение. Там все! И вместе с тем вы можете говорить и говорить, этот клубок разматывать, сматывать, потому что вы никогда не можете до конца это назвать, потому что великое произведение, живущее в веках, оно потому и великое, что в нем есть тайна, настоящая тайна, а тайна неназываема. И вот в «Primavera» очень глубокая тайна, и поэтому до конца она неназываема.

Существует какое-то количество имен, может быть, сто или десять, а может быть, только пять, которые представляют собой тот глубокий голос, внутренний, с которым ты идешь по своей жизни. То, что идет, живет и развивается с тобой, когда ты впервые видишь эту картину, и она из тебя не уходит никогда и приходит в тебя, как мир, когда потом ты хочешь о ней знать, когда потом наконец тебе выпадает счастье ее увидеть. Боттичелли глубоко связан с потребностью в красоте в романтизме, в нем есть та недосказанность, которая должна быть в чувствах, которая должна быть в восприятии мира, которая должна быть в жизни. В нем есть какая-то абсолютная красота, не красота пропорций и форм, а чувственного восприятия формы, и она немножечко, капельку приправлена горечью, одиночеством, пустотой декаданса — то, что нам, людям XX века, очень свойственно. Наши современные художники или художники начала XX века — нам известны их здоровье и оптимизм или их боль или их трагичность, но они, быть может, не так близки автору, как сочетание этой не высказанной до конца боли и не выраженного до конца восторга, которые есть у Боттичелли.

ГЛАВА 2

Титаны Возрождения

Гробница Медичи – философия в камне

«И вот в Казентино в 1474 году под знаменательными и счастливыми созвездиями родился младенец у почтенной и благородной жены Лодовико, сына Лионардо Буонарроти Симони, происходившего, как говорят, из благороднейшего и древнейшего семейства графов Каносса. У названного Лодовико, который в этом году был подестой поселков Кьюзи и Капрезе, аретинской епархии, что неподалеку от Сассо делла Верниа, где св. Франциск принял стигматы, родился, говорю я, сын в шестой день марта, в воскресенье, в восьмом часу ночи; назвал он его Микеланджело: в самом деле, долго не размышляя, а по внушению свыше, отец хотел этим показать, что существо это было небесным и божественным... При его рождении Меркурий в сопровождении Венеры были благосклонно приняты в обители Юпитера, и это служило знаком того, что искусством руки его и таланта будут созданы творения чудесные и поразительные».

Так писал о Микеланджело Буонарроти в своих воспоминаниях один из величайших писателей и первых настоящих историков искусства в Европе Джорджо Вазари, автор книги о замечательных художниках своего времени. Джорджо Вазари, который прославился тем, что создал галерею Уффици, улицу Уффици, расписал много разных храмов и официальных гражданских сооружений, это был очень большой человек в правление Пьеро Медичи. Он был прямым учеником Микеланджело, к которому его отдали в обучение. А затем, когда Микеланджело не стало, именно Джорджо Вазари создал его надгробие. Это целый ансамбль, монумент в пантеоне великих людей в церкви Санта-Кроче во Флоренции.

Даниэле да Вольтерра. Портрет Микеладжело Буанаротти. 1500е. Музей Тейлора, Нидерланды

Имя Микеланджело означает «архангел Михаил». Микеланджело — имя, которое в нашем рассказе не нуждается в очень подробной дешифровке, потому что речь пойдет только об одном его произведении, о гробнице Медичи. Находится она во Флоренции и связана внутренним переходом с церковью Сан-Лоренцо. А святой Лаврентий (Сан-Лоренцо) — один из покровителей Флоренции. Начал эту гробницу Микеланджело в 1520 году. И заказал эту гробницу ему не кто-нибудь, а папа Лев X, который был избран в 1520 году. Это также был год смерти Рафаэля, вообще очень знаменательный год в итальянской культуре. Мы сейчас отмечаем границу между кватроченто, XV веком и новым этапом в развитии итальянского искусства, и это именно 1520 год, год смерти Рафаэля.

Так вот, в 1520 году Папа Лев X, который был великим покровителем искусств, нумизматом и знатоком искусства, заказал Микеланджело гробницу своих предков. Сам Лев X происходил из рода Медичи, он был сыном Лоренцо Великолепного. Микеланджело сопротивлялся, по этому поводу существует огромное количество литературы, очень подробно описывающей, почему Микеланджело совсем не хотел делать эту гробницу. Даже в поэме Эмиля Верхарна об этом сказано.

Папы ему надоели очень сильно. Почему он был республиканцем, человеком свободным, хотя обожал Лоренцо Великолепного и считал его своим отцом? Потому что каждый последовательный художник или каждая большая личность требует для себя внутренней свободы. Она совершенно не терпит диктатуры. Поэтому при диктатуре художнику трудно. Настоящий художник внутренне свободен, потому что он должен выразить себя, а не папу с мамой, не партию любимую, не любимого вождя. Он должен делать то, на что воля божья, следовать за самим собой. Микеланджело следовал за самим собой. Как его мучало это все, эта потребность во внутренней свободе, а не просто в политическом манифесте!

Но мы опускаем сейчас все эти подробности, скажем только одно: это творение Микеланджело занимает совершенно особое место не только в его творчестве, но, как показало время, в истории искусства. Именно время все расставляет по своим местам, и только время обмануть невозможно, оно все равно все делает очевидным. И именно эту гробницу Микеланджело делал очень долго, по самым разным обстоятельствам, их было много. Он убегал в Рим из Флоренции, там было огромное количество перипетий. В 1521 году Лев X умер, а в 1523 году к власти пришел его последователь Климент VII, но он тоже был из рода Медичи и он тоже хотел делать эту гробницу. Почему? Да потому что усыпальница — это соединение жизни с вечностью, потому что именно усыпальница соединяет историю с временем внеисторическим. Время с вечностью. И здесь была нужна рука Микеланджело, гений Микеланджело. Конечно, оба Медичи очень хотели, чтобы именно Микеланджело, который в очень раннем возрасте попал в дом Лоренцо, делал эту гробницу. Они хотели не просто утвердить себя во времени, они хорошо понимали, что время, вечность, бессмертие творится пророками и художниками: помянут тебя, помянут и меня. Удивительная вещь — римские папы, императоры понимали, что когда помянут этого художника, то помянут и их. Творение Микеланджело — оно и есть эта память, несущая имя Медичи, соединяющее время, когда они жили, с бесконечным временем впереди.

Итак, Микеланджело эту гробницу строил очень долго, до 1534 года, с разными перипетиями. Что представляет собой эта гробница сегодня? Как в настоящую и подлинную гробницу, в нее входа с улицы и с площади нет. Вы должны пройти через церковь Сан-Лоренцо, вы должны пройти еще через одну усыпальницу Медичи. И только тогда вы попадаете в гробницу Медичи, сотворенную Мике-

Микеладжело Буанаротти. Гробница Медичи, ок. 1520
Базилика Сан-Лоренцо, Флоренция

ланджело. Но когда вы входите внутрь, то, что вы видите, и то, что вы ощущаете, до такой степени не похоже ни на что, что вы чувствуете себя оторванными буквально от всего — и от церкви Сан-Лоренцо, и от того яруса, где расположены гробницы других Медичи, и от того, что вы видели на улице. Вы попадаете в совершенно неожиданный для вас мир. Ни одна книга, никакие иллюстрации, никакое описание, к сожалению, не могут передать того ощущения, которое вы испытываете, находясь внутри пространства, созданного Микеланджело. Именно пространства, сотворенного Микеланджело. Потому что, как правило, все иллюстрации, показывают гробницу с одной стороны, вы никогда не можете увидеть ее целиком. Даже в кинематографе. Был замечательный фильм, снятый о Микеланджело, но даже кинематограф не может передать того, что вы чувствуете внутри этого пространства гробницы.

В литературе принято очень акцентировать надгробие Джулиано и Лоренцо Медичи, которым эта гробница и посвящена. И не только фигуры Джулиано, брата Льва X, и его племянника Лоренцо, а особенно огромные фигуры, как бы сползающие, соскальзывающие с розоватых гранитных надгробий — утро, день, вечер и ночь. Все внимание в рассказе сосредоточивается вокруг этих фигур. Но эти фигуры — только часть того, что называется гробницей, ибо гробница — это необыкновенно глубоко продуманный и очень серьезный ансамбль. Это совершенно особая организация пространства, и с ней очень трудно сопоставить что-либо. Есть, конечно, египетские пирамиды, но их оставим в стороне. Давайте просто посмотрим на то, что сделал Микеланджело.

Прежде всего, гробница Медичи — это архитектура. Когда вы стоите внутри гробницы Медичи, то вы понимаете, где вы стоите. Вы отчетливо понимаете, что вы находитесь на площади, а вокруг вас расположены фасады домов. Потому что вся архитектура стен — пилястры, окна, наличники на окнах — все абсолютно детали этого архитектурного ансамбля создают отчетливое впечатление того, что вы стоите на площади, перед фасадами домов. А для итальянских палаццо (и для эпохи Возрождения, и для римских домов — след римской архитектуры, гражданской зодческой мысли там прорисован отчетливо) очень характерно помещать в нишах различные скульптуры. Это, как правило, были скульптуры богов или скульптуры покровителей. Микеланджело в нишу помещает две фигуры — Лоренцо и Джулиано, это вообще принято в итальянском зодчестве, такой синтез архитектуры и скульптуры. Это фасадовое решение, решение стен гробницы как фасадов зданий, оно настолько многообразно, оно так интересно архитектурно выстроено, что воспринимается несколько даже пластически. Две скульптуры, два образа — Лоренцо и Джулиано, помещенные в нишах — совершенно органично соединяются с домами. А под ними, на покатых крышках саркофагов обоих герцогов, — такая же часть этого ансамбля. Это надо воспринимать не только как некий единый ансамбль и говорить о том, что Микеланджело создал архитектурно-скульптурный ансамбль, но как бы новое соединение архитектуры и скульптуры.

Итак, у вас появляется ощущение, что вы стоите на площади, перед зданиями. Одна стена как бы алтарная, она другая. И там находится скульптура, но Микеланджело задумал совсем не ту скульптуру, которая расположена там сейчас. Он задумал очень странное соединение скульптур. Он хотел туда положить скульптуру, олицетворяющую Нил, плодородие, текущее время, бескрайность, безграничность времени и плодотворность этого текущего времени. Вторая фигура задумана была им как раз ровно та, которая стоит сейчас: это так называемая Мадонна Медичи. Это иссеченная им Мадонна с младенцем на руках, к которой мы еще вернемся. А вот третья фигура, представьте себе, находится сегодня в Эрмитаже. И она называ-

Микеладжело Буанаротти.
Мадонна Медичи.
ок. 1521—1534.
Капелла Медичи, Флоренция
Автор фотографии:
shakko/Wikimedia commons

ется «Мальчик, вынимающий занозу». Об этой скульптуре очень много можно говорить, потому что с ней связана целая скульптурная концепция и то, как он иссекал эту скульптуру.

Что это за соединение такое? Вы стоите перед фасадами домов, перед вами усыпальница герцогов, с этими самыми временами суток, скульптуры герцогов. На алтарной стене — Нил, Богоматерь с младенцем и мальчик, вынимающий занозу. Как соединить это все? Для современников это было гениальное творение Микеланджело, оно вызвало огромный резонанс. Трудно представить, сколько сонетов, сколько высказываний было посвящено этому творению Микеланджело, как бурно реагировало время на это произведение, и как отвечал Микеланджело. Развернулась целая идеологическая дискуссия вокруг гробницы Медичи. Конечно, и для его современников это тоже было не совсем обычное творение. Но вернемся, однако, к тому, что вызывает у нас недоумение, к этому сочетанию, задуманному Микеланджело. Повторим, то, что там сейчас стоят фигуры святых и Медичи, несколько меняет концепцию, а мы будем говорить о том, что задумано было самим Микеланджело. Если вы соедините эти три фигуры и подумаете, что это такое, подумаете обо всей гробнице, то вы поймете, что современники воспринимали это как одно из величайших творений Микеланджело, художника, создавшего великий синтез архитектуры и скульптуры, а Медичи жаждали этой гробницы как славы своего рода. Замысел Микеланджело был в другом, и только сейчас контуры этого замысла начинают прорисовываться. Это уникальное творение человеческого гения. Это буквально философия в камне. Это рассуждение художника о том, что есть время, и где его место внутри этого времени.

Тема времени, конечно, не была предметом заботы только Микеланджело. Надо понимать, что в эту эпоху жили Галилей, Тихо Браге и, конечно, астроном Коперник. Он был современником очень многих великих людей, которые уже просто как математики, как астрономы, как астрологи соединяли время земное с временем иным, внеземным — с временем сотворения, с временем бесконечности. Этим же занимался и Леонардо да Винчи. Но, безусловно, то, что сделал Микеланджело, есть философский трактат в камне.

Если Нил есть время бесконечное, безначальное, это тема течения времени, его плодородия, его плодотворности, то «Мальчик, вынимающий занозу» — это мгновение внутри этого времени. «Мальчик, вынимающий занозу» — это ситуация и мгновение. А что касается Мадонны с младенцем, то, конечно, это историческое время, это — то время, которое объединяет собой внутренний мир всей культуры Микеланджело, это тема христианства. Это тема времени культуры, в которой находится Микеланджело, очень продленное время, все определяющее не только тогда, но и сейчас, и все-таки это время историческое. И получается, что это тема времени Нила, тема времени исторического, историко-религиозного, и мгновения. Все существует одновременно. И вот тогда четыре фигуры под нишевыми круглыми статуями Джулиано и Лоренцо становятся на место, а не выделяются в нечто особое. Потому что они становятся понятием циклического времени: бесконечные смены цикла — утро-день-вечер-ночь, утро-день-вечер-ночь. Через нас как бы проходят эти соединенные временные константы. Мы наполняемся сами этим временем, этим пониманием времени, осознанием того, внутри какого сложного временного сплетения мы находимся.

А что же означает та площадь, на которой мы стоим, и те фасады домов, которые нас окружают? Это аллегории времени, которые Микеланджело предлагает нам в алтарной стене, которые он предлагает нам под портретами герцогов. Микеланджело принимал участие в реконструкции римского Капитолия. Римский Капитолий — это соединение времен. Это площадь Капитолия, на которой стоит памятник Марку Аврелию, а римские фасады домов — свидетели времени. Они как берега реки, мимо которых постоянно течет, меняясь, эта река времени. Поэтому вокруг нас фасады домов, и мы стоим на площади, и толпы идут, идут и идут мимо этих фасадов, мимо этих образов далекого прошлого, мимо этих скульптур гениального художника. И мы включаемся в этот поток времени.

В музее мы смотрим на картины, а они смотрят на нас. Это удивительное взаимодействие не только с данным произведением искусства, которое мы можем понять, прочитать или не можем понять, прочитать. Это удивительное соединение со временем, которое входит в нас самих. Разве в нас нет той же самой временной концентрации? Разве мы не часть мирового пространства, разве мы не часть данного минутного действия здесь и сейчас? И разве в нас нет нашей великой историко-этнической или историко-религиозной культуры, то есть культуры крестьянской, внутри которой мы с вами живем?

Гробница Микеланджело — это удивительная вещь. Это не только гениальное произведение искусства. Можно рассматривать ее в целом, можно рассматривать по деталям. В целом это размышление о времени, сделанное вот таким образом, в виде гробницы. Микеланджело додумывает, как гробница сочетает в себе понятие времен.

А теперь остановимся на некоторых деталях этой гробницы. Поражает ее живописное решение, а именно живописно-световое. Там очень сложно устроен свет, точнее, там нет света. Вы можете находиться там постольку, поскольку свет естественным путем проникает внутрь этой гробницы. И вот это соединение мрамора разного цвета, светлого и темного камня на стенах гробницы, это окаймление, барельефные, архитектурные выступы, которые вы видите, выполненные из темного травленого мрамора с более светлым, — это все бесподобно красиво. Мы подходим к тому, что все-таки здесь лежит прах обоих герцогов: герцога Немурского, то есть Джулиано, и герцога Урбинского, то есть Лоренцо, брата и дяди Льва X.

Конечно, нельзя не остановиться не только на этом удивительном цветовом и световом решении.

Микеладжело Буанаротти.
Брут.
ок. 1538.
Национальный музей
Барджелло, Флоренция

Кстати, Микеланджело был первым скульптором, который делал скульптуру не только как объем в пространстве, потому что скульптура все же есть объем в пространстве, определенным образом осмысляющий пространство и осмысленный пространством. Хотя тут можно спорить, есть разные варианты и современные скульптуры, но все-таки в основном это так. Вспомним скульптуру Брута. На этом примере видно то, что пишут о Микеланджело: когда вы обходите скульптуру, она меняет свои ракурсы и даже свое содержание. С одной стороны, вы смотрите на скульптуру Брута, которой есть как бы авторская версия портрета древнего римлянина Каракаллы. Но это Микеланджело делает Брута. Он республиканец. Ему не нужны Медичи, он их не любит, он не любит папу, он любит республику. Но работает на заказ, на Медичи, на папу. Ну что можно поделать? А он не может работать иначе, чем может работать Микеланджело. Все равно работает, как работает Микеланджело. Он делает купол над собором святого Петра, он расписывает потолок Сикстинской капеллы. Ну что тут можно сделать? Это было вечной его трагедией, вечным его терзанием — так же, как и гробница Медичи. Но он делал это, и поэтому Брут вызывает в нем особый восторг. Вот, наконец, он делает образ любимого Брута! Если вы посмотрите на Брута с одной стороны, вы видите, как он энергичен, как он прекрасен, как великолепен его профиль, какой он сильный, какая красивая щека. Очень красивый, мощный, сильный человек, самостоятельный, личность, республиканец — Брут, убийца Цезаря. А вот если вы его обойдете и посмотрите на него с другой стороны, неожиданно картина меняется. Надо его обходить слева направо. Левая сторона — тут мы видим молодого человека. А ваш проход создает ощущение времени — это есть время. Вы подходите и видите: щека повисла, глаз — как будто бы он после некоего паралича. И нет в нем ни задора, ни азарта, а просто стареющий сенатор, безразличный ко всему, с опущенным уголком рта.

Это поразительно, как можно было это сделать? Так изобразить своего любимца, вольно или невольно увидеть его финал и показать нам его. Надо очень пристально смотреть на вещи, которые мы называем гениальными, потому что они несут в себе всегда много больше того, что мы воспринимаем. Это произведение искусства, перед которым нам должно преклоняться, которое входит в список бессмертных. Все сделано одинаково. Внутри гробницы Медичи нет ничего, что сделано лучше или хуже. Все сделано одинаково, все одинаково проработано, и какие прекрасные фигуры

Джулиано и Лоренцо, как долго можно рассматривать детали этих двух воинов. Когда Микеланджело делает фигуры Джулиано и Лоренцо, то он делает образы, не совсем адекватные тем личностям, которые были их прототипами. Ему говорили: «Не похожи твой Джулиано и твой Лоренцо на прототип, на портрет». — «Прекрасно, — ответил Микеланджело, — а кто через сто лет будет знать, как они выглядели?» Человек видит себя в обратной проекции. Он знает, что они будут через сто лет. А кто, правда, через сто лет будет знать, как они выглядят? И возникает образ порывистого рыцаря, святого Георгия Победоносца — Джулиано. Как он хорош собой, как порывист, как он прекрасен физически! Воин. От воина действия — молодого, порывистого, горящего, к воину-философу, к воину-мыслителю, к Лоренцо, более широкому, который сидит в задумчивой позе, и на голове у него очень интересный шлем. Это шлем очень старый, он напоминает шлем Афины Паллады или шлем, который был на голове воина и философа Перикла, главы афинской демократии.

Что касается четырех времен суток, о них очень много написано. И сейчас нет смысла просто возвращаться к этой теме. Потому что уж если кто-то описан замечательно, то это вот эти вот четыре фигуры. Но я хочу сказать об одной из них, это фигура Дня. Всех поражает какая-то несогласованность в том, как изваяно тело День. Какое оно мощное, прекрасное, но эта фигура как бы отвернута от нас. День словно с большим трудом поворачивает к нам голову, поворачивает к нам свое лицо. И когда мы видим голову фигуры, изображающей утро, мы удивляемся, до какой степени не совпадают манера ваяния всей фигуры Дня и манера ваяния головы. Нет абсолютно гладкой поверхности. Микеланджело свои скульптуры лайковыми перчатками полировал, лайкой щенков. Жестоко, конечно, но что поделаешь. Когда вы смотрите на голову Дня, вам кажется, что она сделана художником начала XX века. Образ лишь намечен, лишь как бы проступает. Это неразличимое лицо. Оно уходит в многоречие. Вы можете его трактовать как угодно. Современников поражали эти зарубки инструментов, оставленные на как бы недооформленной художественно голове Утра, потому что современники привыкли к другой манере скульптурного ваяния, не к такой обобщенной, не к такой свободной. Микеланджело хорошо ответил по этому поводу, на это недоумение. Он сказал: «А кто видел в лицо день грядущий? Никто не видит в лицо день грядущий». Что еще раз подтверждает, что эта работа — не просто работа над гробницей, эта работа является чем-то еще. Это философское рассуждение о времени, куда входим и мы, куда входят и Медичи, и многие другие люди, где есть место мгновению, есть место постоянному коловращению и круговращению, цикличности, и где все-таки место соединения с личностью, какое-то учение о цельности и единстве мироздания через время.

В то время заказ гробницы не был особенно распространенным явлением. Хотя для Микеланджело это был вообще его пожизненный крест, потому что одной из работ, мучивших его всю жизнь, была гробница, которую предшественник Льва X, папа Юлий II делла Ровере, ему заказал. И именно эту гробницу, как ни странно, Микеланджело принялся делать с огромным азартом, с огромным интересом, но по каким-то причинам Юлий II отказался от этого заказа. Вообще, с Юлием II связан заказ росписи потолка Сикстинской капеллы. Но он отказался по разным причинам, совершенно неизвестным. То ли денег ему не хватало, но говорят, что ему что-то нашептал архитектор Браманте (ведь интриги были тогда точно такие же, как и сейчас, а может, еще более кровожадные, накал страстей был пассионарный). Браманте, который имел большое значение при папском дворе, нашептал Юлию II, что делать при жизни гробницу — это очень дурной признак. Возможно, так и было, то есть одной из причин отказа папы Юлия II от заказа была именно эта. От гробницы много осталось разных фрагментов: так называемые «Пленники», которые находятся в Лувре, и, конечно, замечательная скульптура Моисея в Петроверигской церкви в Риме. Это гениальная скульптура. Она должна была войти в ансамбль гробницы папы Юлия II. Это удивительно! У Микеланджело каждая часть равна целому, или в каждую часть вложен весь гений замысла и художественного целого. Но кто может представить себе, что эти рабы из Лувра или Моисей — часть какого-то ансамбля? Они были бы внутри этого ансамбля, но они и совершенно самостоятельные работы, которые можно рассматривать вне ансамбля. То же можно сказать о любой скульптуре из гробницы Медичи. Таков уж удел гениальности — в каждую деталь вкладывать все, что вложено в целое, и делать целое — составленным из элементов, но единым и гармоничным.

Надо сделать еще одно замечание о Микеланджело. Его самая знаменитая работа — Давид. Она так прекрасна, что даже у людей толстокожих может вызвать слезы, потому что это созерцание абсолютно совершенного художественного творения. Микеланджело творил героя своего времени. Когда он делает Давида, он молод и наполнен надеждой. Он полон гордости за свое время. Он чувствует его. Не случайно и Донателло, и Вероккьо, то есть люди, жившие с ним одновременно во Флоренции, почему-то обращались к образу Давида, отрока Давида, поэта Давида, воина Давида. В нем было все. В нем была абсолютная победа, потому

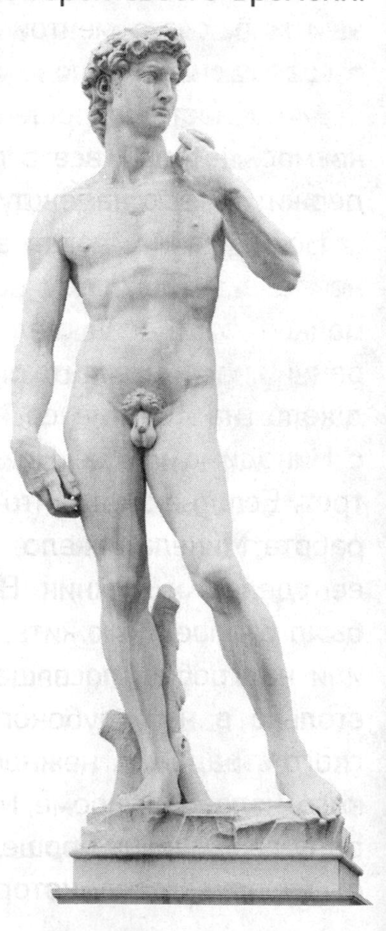

Микеладжело Буанаротти.
Давид.
ок. 1501—1504.
Академия изящных искусств,
Флоренция

что он победил старого одряхлевшего Голиафа. Он был и поэтом, творцом псалмов. Он был и философом. Конечно, кто был героем этого времени? Давид, потому что они чувствовали себя победителями, они чувствовали себя новым временем, они чувствовали, что перед ними открыто некое замечательное будущее. И именно Микеланджело выразил эту общую надежду, сотворив великую статую Давида, прекрасную с художественной точки зрения и, вместе с тем, отсылающую нас к адресу эпохи Возрождения. Нет, это не готика. Это античный мир, с его мечтой о гармонии, с его мечтой о совершенном человеке, с его мечтой о героической личности совершенного человека. Это микрокосмос, который все в себе несет, все в себе содержит — всю надежду, всю красоту.

Не случайно, когда эта скульптура была установлена в 1504 году на площади перед палаццо Веккьо, этот день стал днем искусства для Флоренции. А посмотрите на поздние вещи Микеланджело: на «Снятие со креста» или «Оплакивание с Никодимом», где Никодим — это его автопортрет. Если не знать, что «Снятие со креста» — это работа Микеланджело, можно ли догадаться, что ее сделал художник Возрождения? Нет. Можно было бы предположить, что это статуя, скульптура или надгробие, посвященное жертвам Освенцима, столько в ней глубокого, неизбывного человеческого страдания, нежности, тоски. Нет другого такого человека, кроме Микеланджело, который за одну свою жизнь прошел бы весь путь художника, от XV до XX века, который занял бы своим искусством все пространство пяти столетий. А что же делать искусству, если есть художник, который всю жизнь сделал, даже на будущее? Ничего. Идти своим путем. Начинать все сначала. Он просто есть, не просто гений Микеланджело, весь феномен Микеланджело. Это человек, который всю жизнь все делал своими руками, которого раздражали любые помощники. Когда он расписывал потолок Сикстинской капеллы, его раздражал тип, который ему краски тер, он ему мешал. Микеланджело все должен был делать сам. Ведь вместить представление об этом в голове своей невозможно. Именно он, и только он один был себе самым жестким и самым беспощадным судьей. Он бесконечно корил себя.

Завершая разговор о гробнице Медичи, которой посвящено много стихов и известных ответов Микеланджело, вспомним о том, что Микеланджело был замечательным поэтом. Он писал в разных принятых тем временем манерах, но самой любимой его формой был сонет. И даже если бы он не стал художником, то достаточно было бы его сонетов, чтобы сказать о том, что в эпоху Возрождения жил замечательный поэт, и имя ему было Микеланджело Буонарроти. И он имел свою великолепную возлюбленную, которой он писал стихи, это была герцогиня Виттория Колонна, перед которой он преклонялся, преклонялся перед ее красотой и умом. И она отвечала ему стихами. Она была, как считал Микеланджело, достойна его и равна ему. Это удивительная история такого глубокого понимания, такого уровня и достоинства отношений.

И вот в этих стихах, и в поздних письмах Микеланджело видна степень его пристального и очень критического недовольства собой. Никакой надменности, конечно, он понимал, кто он. Это напоминает одну передачу о музыканте Рихтере. Когда у него спросили в финале, как он чувствует себя, он сказал: «Я очень собой недоволен». Вот Микеланджело был очень собой недоволен. В стихах он пишет об этом, бесконечно об этом пишет. Особенно в стихах поздних.

Вот одно из самых последних стихотворений Микеланджело, которое помогает войти в строй его мыслей и чувств.

Уж дни мои теченье донесло
В худой ладье, сквозь непогоды моря
В ту гавань, где свой груз добра и горя
Сдает к подсчету каждое весло.

В тираны, в боги вымысел дало
Искусство мне, — и я внимал, не споря;
А ныне познаю, что он, позоря
Мои дела, лишь сеет в людях зло.

И жалки мне любовных дум волненья:
Две смерти, близясь, леденят мне кровь, —
Одна уж тут, другую должен ждать я.

Ни кисти, ни резцу не дать забвенья
Душе, молящей за себя Любовь,
Нам со креста простершую объятья.

Леонардо да Винчи: тайна улыбки и тайна бытия

Марина Ивановна Цветаева писала, что личность художника всегда больше тех произведений, которые он оставляет после себя. Это не буквальная цитата, но мысль ее именно такая: личность художника всегда больше. И дальше она пишет: «Как же велик был Леонардо, если "Джоконда" — только одно из его произведений!» Эту мысль Марины Цветаевой можно продолжить не только относительно Леонардо, но относительно Леонардо в том числе.

Леонардо больше не только «Джоконды», которую он нам оставил, но мы не можем даже представить себе объема всего наследия Леонардо. Потому что наследие Леонардо заключается не только в том очень небольшом количестве картин, которые он оставил, хотя мы называем Леонардо да Винчи художником, но ведь Леонардо да Винчи — художник в том числе.

Автору довелось однажды увидеть на выставке в Музее изобразительных искусств книги, которые были привезены на юбилейную выставку Леонардо из Франции: факсимиле, 24 тома ин-фолио, в изумительных переплетах. Тогда на стене в музее висела справка, которая гласила о том, что из 24 томов ин-фолио, оставленных Леонардо, на все языки мира переведено примерно 6 с половиной томов — ¼ часть.

А что представляют собой эти книги? Это тексты и рисунки. А как назвать эти книги? Архив? Безусловно. Но там же и графика, необыкновенная графика! Огромное количество той графики: медицинской, анатомической, но особенно графики инженерной. Огромное количество — подумать только, ¼ часть! Можем ли мы сказать, что мы знаем Леонардо? А уж на русский язык произведений Леонардо переведено совсем мало.

В 1952 году вышла книга Леонардо в переводах А.А. Губера и А.М. Эфроса. Она произвела огромное впечатление. Но можем ли мы сказать, что мы знаем Леонардо? Нет, конечно. А переводить его, видимо, очень сложно. Он писал не на современном итальянском языке, он был левша, он писал левой рукой и в зеркальном отражении. Нужны целые институты, для того чтобы перевести его произведения! Время ли сейчас для такого гуманитарного пафоса? Но повторим: мы не знаем всего объема того, что оставил нам этот, назовем его с большой буквы, Человек.

То, что сказано о его наследии, о его графике, о его архивах, можно сказать и о его картинах: а понимаем ли мы, знаем ли мы, что представляют собой картины Леонардо да Винчи, что на них нарисовано, написано? Что означают сцены, которые показаны Леонардо в его картинах? Не то, какой сюжет изображен, а какой текст закодирован в этих картинах.

Когда вы приходите в Лувр, вы с очевидностью видите некоторую художественную дискриминацию картин Леонардо. Отдельно, в каком-то немыслимом пуленепроницаемом стекле, расположена «Джоконда». Толпы, толпы и толпы, с утра до ночи. Все фотографируются. Сказать, что ее видно

Леонардо да Винчи. Святая Анна с Мадонной и младенцем Христом. 1508. Лувр, Париж

очень хорошо с такого расстояния, нельзя. Ее видно плохо. Но ее всемирная и всемерная популярность безусловна. Рядом в зале висят еще два, безусловно, подлинных произведения Леонардо:

это «Мадонна в гроте» и «Святая Анна с Мадонной и младенцем Христом» — картина, о которой пойдет речь. Она висит там без всякого бронированного стекла, публика равнодушно фланирует по этому залу, по коридору, мимо этих картин. Остановились, посмотрели, прочитали название, еще постояли одну минуту и пошли дальше.

Это тот же самый художник, который написал «Джоконду», и значение этих картин не меньшее, и содержание их не менее загадочное.

Вот такое место «Джоконда» заняла в истории, в умах. Это какой-то миф. И ни одной картине в мире, ни одной, ни одной «Сикстинской мадонне» не досталось так от нас, как досталось «Джоконде». Усы ей пририсовывали, Энди Уорхол с ней забавлялся, на майках она у нас есть, на шинах-машинах она у нас есть. Все, что можно представить себе для того, чтобы поискать вульгарный ответ, очень вульгарный, иронически вульгарный ответ на загадку: «А кто это? А что это? А чем написано? А как написано?» — уже сделано. Мы все уже устали.

Но, если говорить честно, то все три картины — «Мадонна в скалах», «Святая Анна с Мадонной и младенцем Христом» — представляют собой одну картину, только по-разному написанную, развернутую в разных аспектах.

Именно поэтому не будем говорить о «Джоконде». Сколько написано о Леонардо, сколько написано об этой картине — все, что ни скажешь, будет повторением чего-то. Все исследования, то, что воображают фантасты и нефантасты, они где-то около картины ходят, они никогда не приближаются к ней.

То же самое можно сказать о его большой картине, которая висит в Лувре и является несомненным подлинником Леонардо, что очень важно.

И наш Эрмитаж очень богат тем, что у него есть одна, безусловно, подлинная картина раннего Леонардо с атрибуцией художника Александра Николаевича Бенуа, которая так и называется «Мадонна Бенуа». Это невероятное везение. Это невероятное богатство. Потому что очень большое количество Леонардо — это очень большое количество вопросов: непонятно, он ли это, его школа или поздняя реплика.

Но вернемся к «Анне, Марии, младенцу и агнцу». Думается, что это все-таки некое условное название этой картины. А на картине показано святое семейство, только показано оно как бы по женской генерации: Анна, мать Марии, Мария, младенец. И младенец за уши тянет к себе агнца.

Леонардо не рассказчик. Большинство художников эпохи Возрождения — рассказчики, они очень любят рассказывать истории, они берут любой сюжет Священного Писания, а по законам католической церкви изображение возможно на любой сюжет Нового и Ветхого завета. Вот в России это не так: в России каноническая живопись предписывает изображение только праздничных сюжетов или избранных святых. А на Западе есть такое разрешение писать на любой сюжет Ветхого и Нового Завета. И поэтому разнообразие сюжетов в живописи очень большое, они очень рано становятся светскими, где Священное Писание является лишь предлогом для того, чтобы написать картину. Ну, конечно, это имеет отношение к Писанию, но это уже как бы комментарий художника к сюжету, его рассказ. Очень часто этот сюжет транслирован в современные ему условия. То есть, собственно говоря, это как раз то, что мы делаем мы сейчас. А вот попробуйте рассказать сюжет «Мадонны в гроте». Или попробуйте рассказать сюжет «Анны, Марии, младенца и агнца». Или попробуйте рассказать сюжет «Джоконды». Получится у вас? Не получится.

Что же изображено на этих картинах? Речь сейчас не о технике письма. Судя по тому, что Леонардо никогда не писал в общепринятой технике, даже когда он писал миланскую фреску «Тайной вечери» в Санта-Мария-делле-Грацие. Он и тут не пошел по общему пути, он создал совершенно новую технику с добавлением масляной живописи и пал жертвой собственного эксперимента, потому что она не годилась для настенной живописи. Но это совсем другой вопрос. У него нет ни одной картины, которая не была бы удивительна, уникальна не только по своему техническому составу, не только по тому, чем и как это написано, но и по тому, что изображено.

Казалось бы, что может быть проще? Анна, Мария, младенец и агнец...

Но давайте посмотрим, как написана эта картина. Во всех трех картинах, в «Джоконде», в «Анне...» и в «Мадонне в гроте», мы видим одну и ту же экспозицию — ландшафтную. Мы с вами видим два совершенно разных ландшафта, два совершенно разных пространства.

Когда мы смотрим на «Джоконду», то мы знаем точно, что «Джоконда» или то, что мы называем словом «Джоконда», сидит в кресле в комнате и смотрит на нас. А что у нее за спиной? Распахнутое окно? Или это сразу еще одно пространство? Что за ландшафт у нее за спиной? А ведь она принадлежит обоим этим пространствам: и тому, на фоне которого написана ее фигура, и тому, внутри которого она находится, улыбаясь нам, сидя в кресле.

То же самое мы видим в картине «Анна, Мария, младенец и агнец». Одна часть картины — это ландшафт земли: земля, дерево, вода. А другая часть картины — это повторение того ландшафта, который мы видим за спиной «Джоконды». А что это за ландшафт, который мы видим за спиной у Джоконды, и на фоне которого мы видим фигуру Анны? Из всех четырех фигур только фигура Анны написана Леонардо на фоне этого ландшафта. Его можно назвать «безводным». Это каменистый ландшафт, не имеющий воды. В «Джоконде» этот ландшафт — намек на то, что когда-то в этой каменной безводности (а вода — это всегда условие жизни) была вода. Сейчас этот ландшафт внежизненный и вневодный. Но есть намек: там, за ее спиной, вдалеке написан римский акведук. Это водопровод, сработанный еще рабами Рима, то есть знак воды. А слева за ее спиной мы видим еще один знак некой давным-давно бывшей, но уже исчезнувшей цивилизации — это дорога. Она начинается где-то за ее спиной и кончается где-то вдалеке. Мы не знаем ни начала, ни конца. Это вообще характерно для итальянских ландшафтов — дорога как путь. А путь бесконечен, мы видим лишь его фрагмент. То есть на картине есть два знака, признака того, что когда-то все было не так.

Посмотрим на картину «Анна, Мария, младенец и агнец»: мы видим тот же самый ландшафт. Анна является центральной фигурой этой четырехчастной или четырехфигурной композиции, о которой все пишут, что это идеальная, совершенная композиция, потому что она графически изображает идеальную пирамиду, где вершина — это прическа Анны, и вот она нисходит к краям картины. Но дело не в этом. Фигура Анны создает такую ритмическую устойчивость, внутри которой есть цепь. И поэтому Анна — главная фигура. Верхняя часть ее фигуры изображена на фоне этого ландшафта, она причастна к этому ландшафту. А вот ноги Анна держит в проточной воде.

Вода написана бесподобно. Вода прозрачна, легка, холодна. Мы видим каждый камешек на дне этой воды. Эту воду можно увидеть на картине Верроккьо в Уффици «Крещение Христа». Леонардо был учеником Андреа Верроккьо, причем Леонардо участвовал в этой картине Верроккьо, он написал там ангела. Возможно, он тогда научился или понял, как писать эту глубину и прозрачность воды с камешками на дне.

Итак, Анна сидит, и одна часть ее корпуса на фоне этого безводного кремнистого ландшафта, а ноги она держит в воде. Она как бы принадлежит этим двум совершенно различным стихиям — водности и безводности. Анна смотрит на Марию, потому что Мария сидит у нее на коленях. Попробуйте ответить на вопрос: а Мария знает, на чьих коленях она сидит? Анна Марию видит, а видит ли Мария Анну? Нет. Она не то что ее не видит, она даже не подозревает о ее существовании. Она не знает, что она сидит у нее на коленях. Мы это видим, но она этого не знает. И вся фигура Марии связана с темой земли, потому что, сидя на коленях у Анны, как бы выходя из ее чрева, как бы выходя из ее лона, она ноги держит на земле. И так она вписана композиционно, что у нее даже ни голова, ни одна часть ее тела не выходят на поверхность этого лунного или марсианского, то есть внеземного пейзажа. Пейзаж внеземной, но она связана только с землей.

А кого она видит, кто есть часть ее? Это словно цепь — когда она рукой тянет к себе младенца, и младенец смотрит на нее. То есть между Марией и младенцем безусловный контакт, они создают цепь, и она смотрит на младенца, улыбается ему и притягивает его к себе, а он смотрит на нее. Они звенья одной цепи. И в свою очередь младенец притягивает к себе за уши агнца. И все, что связано с этим триумвиратом — Мария, младенец, агнец — это все связано с ландшафтом земли. Стоит великолепное дерево — цветущий дуб, раскидистая широкая зеленая трава. Это мощная плодоносная цветущая земля, и эти трое принадлежат этой земле.

Теперь посмотрим на ландшафт «Мадонны в гроте». Это ландшафт бесподобный по своему значению. Они сидят в некоем гроте. Такое впечатление, что они сидят внутри одной из тех скал, которые показаны на картине «Джоконда» и на картине «Анна...». Это не грот, это внутреннее пространство в скалах. И вот в этом внутреннем пространстве в скалах мы видим воду. Мы видим не только воду, но мы видим, хоть и чахлые, но все-таки цветы, мы видим мох. Мы видим также очень странную композицию: Мария, младенец, Иоанн Креститель и некто. Допустим, назовем его ангелом, который острым пальцем, не перстом указующим, а перстом колющим, резким, своей красивой пригвождающей рукой показывает на них, а смотрит на нас. Он как будто бы ангел-проводник. Он как будто бы соединяет на века нас с ними. Он нам показывает эту картину, тайно происходящую внутри этих скал.

Если мы будем смотреть из этого условного «грота» на просвет, то мы в просвете увидим продолжение ландшафта, настолько точно написанного, что он так же отличается от этого пространства грота, как в «Джоконде» и в «Анне и Марии...» отличаются эти два пейзажа. Чем? Это незабываемый цвет, потому что внутри скал свет, где сидит эта группа, мягкий, золотистый, теплый. Там есть тепло золотистого цвета, прохлада воды, мягкость мха, нежность чахлых растений. А вот на просвет в прорыве мы видим фосфоресцирующий, холодный, безжизненный голубой цвет, которым очень часто на экранах телевизора характеризуется в фантастических фильмах иной мир, иное пространство.

То есть в том ином пространстве намекает, возможно, нам Леонардо, внутри этих скал, не совсем уже так безвидно и безводно, может быть, там тоже есть вода. А значит, обитает и дух святой, потому что все-таки вода связана с таинством крещения. Хотя все равно не до конца все понятно, например, там необыкновенно интересная композиция этих рук, рука Богородицы или Марии. Очень сложно и странно смотреть, когда они без нимбов. Например, в «Мадонне Бенуа» и Мария, и младенец имеют нимб, как и полагается по католическому канону. Но «Анна, Мария, младенец и агнец», точно так же, как и «Мадонна в гроте» — это картины, на которых фигуры лишены нимбов. Непонятно, почему они лишены нимбов, ведь все-таки Леонардо подчеркивает в «Мадонне Бенуа» нимб.

Вернемся к картине «Анна, Мария, младенец и агнец». Такое впечатление, что Леонардо действительно пишет как бы одну и ту же картину, вернее, репродуцирует одну и ту же мысль, которая целиком от нас ускользает. К нам повернута только частичная информация. А вот целиком — ускользает. Например, возьмем «Анну, Марию, младенца и агнца». Посмотрите внимательно на, условно говоря, портрет Анны. У нее на голове траурная повязка. Траурная черная повязка, точно такая же, как на голове у Джоконды. Джоконда — вдова, она не может быть женой никакого купца, потому что она простоволоса. Она вдова, у нее распущены волосы. И на голове у нее траурная повязка, она в трауре. И Анна в трауре. Она безмужна. Она одинока, как и Джоконда. Почему эту траурную повязку надо видеть? А посмотрите еще внимательнее, разве это ни одно и то же лицо? Или, выражаясь бытовым языком, неужели не видно, как они похожи друг на друга? Да, это одно и то же лицо. Да и улыбка одна и та же. Это одна и та же улыбка. Это очень странная вещь. Это улыбка скользит, это не только улыбка Джоконды, это улыбка Анны, это улыбка Марии, это улыбка ангела — ангела из «Мадонны в гроте». Взгляните, он смотрит на нас и улыбается той же самой загадочной улыбкой. Это какой-то ангел-демон. В нем есть какая-то двусмысленность, в нем есть какое-то двойное изначалье. Изначалье бога ли, знания ли того, что знает он, а мы никогда не узнаем. То есть то, что есть в Джоконде: знание чего-то, чего мы не коснемся даже.

У Анны стать Джоконды, лицо такое же, как у Джоконды, улыбка такая же, как у Джоконды, и даже траурная повязка. Там есть подобие типов, там есть аналогия ландшафтов, там есть аналогия мысли, ускользающей от нас и спрятанной.

В Лондоне тоже есть «Мадонна в гроте», очень большая картина. Также в Национальной галерее есть один из вариантов композиции «Анна, Мария, младенец и агнец». Рисунок, который висит в Лондоне, поражает своими размерами. Это графика, которая смотрится как законченная картина, графика необыкновенного размера. Что там очень интересно: суть одна и та же — Анна тоже с ногами в воде, Анна тоже никак руками не касается Марии, нет касания между ними, нет физической близости. И хотя она из ее лона вышла, но как бы она не знает, из чьего. Но там есть какое-то таинственное знание. Они ближе друг к другу придвинуты, там несколько иная композиция, она более закрученная, как спираль, и более интимная. Но воспринимается она просто как другая картина. Хотя на самом деле, как говорил Леонардо да Винчи, искать истину надо постепенным приближением. Знаете, как настраивают бинокль: сначала вы настраиваете бинокль, видите более туманно, потом все резче, резче, резче, потом, наконец, резкость вашего бинокля совпадает с тем объектом, на который он направлен, и вы видите его уже совершенно отчетливо. Вот это система постепенного приближения к истинности, к этому совпадению.

У Леонардо очень много рисунков, их очень интересно рассматривать. Это отдельный рисунок головы Марии, это отдельные фрагменты младенца, Иоанна Крестителя, который благословляет младенца, изображения младенца — рисунки сангиной, итальянским карандашом. Но по существу эта история, конечно, необыкновенно интересная. «Анна, Мария, младенец и агнец» — это картина, которая, как и «Джоконда», была с Леонардо во Франции. Так же, как и «Джоконда», эта картина при смерти Леонардо никому не принадлежала. Известно, что душеприказчиком Леонардо, как бы наследником, был Франциск I. Еще его предшественник, Людовик XII, мечтал о приглашении Леонардо во Францию.

Леонардо во Францию приехал. В отличие от Лодовико Моро, герцога миланского, к которому Леонардо обращался с письмом, где он описывал ему, что он может делать, Франциск от него ничего не требовал. Для Франциска было честью само его пребывание во Франции. Франциск дал ему дом — замок, Франциск давал ему деньги на эксперименты, что для Леонардо было самым главным и самым важным. Очень интересно, что его амбиции были, прежде всего, амбициями ученого, отнюдь не художника.

Во Флоренции он участвовал в конкурсе, ему обещали довольно большие деньги, когда он делал замечательный картон, который сейчас находится в Уффици, «Поклонение волхвов». Считается, что эта картина из числа тех, которые остались незаконченными. Но на самом деле эта картина Леонардо совершенно законченная. Может быть, первоначально была идея другого решения или другого завершения, но то, что он сделал, — это абсолютно завершенная работа. Ему не деньги были важны, а просто ему надоело ее писать, он уже решил в ней что-то главное. Он ответил для себя на главные вопросы, когда он делал эту картину. Больше она его не интересовала, он шел дальше, потому что его натура была натурой великого исследователя, любопытствующего, внедряющегося в святая святых, в тайну бытия. И она его интересовала больше всего.

Если вы будете внимательно рассматривать «Поклонение волхвов» в Уффици, то обнаружите там огромное количество деталей, и в самом «Поклонении волхвов», и в фоне этой картины. Это вопросы, на которые ответить достаточно трудно. Поэтому совсем не удивительна там эта знаменитая лестница, кончающаяся ничем. И поэтому совершенно не удивительно, что Андрей Арсеньевич

Тарковский использует эту картину: в «Жертвоприношении» тоже эта лестница, которая заканчивается ничем, там такая перекличка голосов. Как это вообще замечательно, когда художники как бы создают мировое эхо, когда они перекликаются в пространстве, «на воздушных путях голосов перекличка»... Вот это и есть культура.

Говоря, например, о Дюрере, нельзя обойти эту тему — какое огромное количество эхолотических ответов, что такое эхокультура, что такое посылаемый, что такое послание, которое отдает художник, и что такое ответ на это послание. И если существует такое количество ответов на послания Дюрера, то на послания Леонардо ответов неисчислимое количество.

Вернемся, однако, к «Анне, Марии, младенцу и агнцу». Несомненно, что эти три картины Леонардо объединены некой общей идеей, если не общим замыслом, потому что они хронологически друг от друга разнесены на достаточно большие промежутки времени. Но все-таки Леонардо вкладывал какую-то одну и ту же мысль в них. Какую? Когда вы их рассматриваете с точки зрения драматургии сюжета, вы начинаете теряться. Откройте любую книгу, посвященную Леонардо да Винчи, на любом языке, попробуйте найти на это ответ. Вряд ли вы его найдете. Их описывают вскользь, потому что это очень трудно. Почему она сидит у нее на коленях? Почему она ее не видит? А почему голова на фоне лунного пейзажа, а ноги в воде? Почему она видит только младенца, а младенец как-то слепо тянет за уши агнца?

Можно сделать предположение по этому поводу. Когда Леонардо писал картины, он думал все-таки иначе, чем его современники. Он был с ними и вне их, вне своих современников. Конечно, эпоха Леонардо была эпохой великих открытий. Она очень интересовалась небом. Она очень интересовалась космосом. Она очень интересовалась Вселенной. Она очень интересовалась не просто Вселенной как творением божественного разума, а как некоей великой загадкой. И не исключено, что «Анна, Мария, младенец и агнец» представляют собой какой-то вариант гипотезы.

Леонардо, вне всякого сомнения, и современники его, и, безусловно, Рафаэль, разделяли неоплатоническую идею о том, что существует всемирный разум, не вселенский, а всемирный разум, всемирный дух. Женское начало было главным, и не исключено, что этот всемирный дух представлен праматерью, прародительницей Анной. Она пра-, она корень всего явления. Возможно, он преподносит нам гипотезу, что земля началась, когда началась на ней вода, что жизнь началась, когда началась вода. Что вот этой проточкой, соединившей землю с безжизненным космосом, является вода, поэтому вдовство Анны, поэтому ее образ на фоне этого ландшафта, а ноги ее в воде. А уже Мария представляет собой образ мифологической идеи «мать-земля», она же и Мария, она же и мать человечества, она же и мать человеческая. Младенец представляет собой человечество, которое по отношению к праматери, к праземле, находится еще в младенческом состоянии.

Между прочим, эта мысль о том, что человечество находится в младенческом состоянии, у Леонардо довольно часто встречается. У него есть письменный апокалипсис. У Дюрера в гравюрах на дереве изображен апокалипсис, а у Леонардо апокалипсис написанный. И он там пишет: вижу (видит, он прозревает сквозь века) очень страшный момент, когда некоторые, набив опилками или чем-то шкуру теленка, бегают за этой набитой шкурой теленка, бросают ее с ноги на ногу, а другие многие кричат. Это апокалипсическое видение футбола. Ужас, когда бессмысленно шкуру теленка набили, с ноги на ногу ее перебрасывают зачем-то, а многие другие кричат. Такие провидческие кошмарные образы будущего.

Возможно, «Анна, Мария, Младенец и агнец» в этой форме дают нам представление о его мысли о том, что мы не одиноки в пространстве. Что земля появляется как жизнь тогда, когда появляется вода. И происхождение воды связано с деятельностью мирового разума и мирового духа. Так сказать, с праматерью. А уже Мария — это библейско-христианское, объединенное с мифологическим представление о земле, о матери, о матери человечества, о матери Христа.

Что касается агнца, на вопрос о нем трудно ответить. Потому что агнец может быть как традиционной христианской темой жертвы, абсолютной жертвенности, так может быть и образом животного мира, зооморфическим образом, с которым связан человек. Конечно, земля эта написана Леонардо необыкновенно богато, щедро и абсолютно иначе по манере, чем написан лунный пейзаж.

Все это может быть оспорено кем угодно, потому что это не более чем попытка решить загадку. Точно так же можно увидеть эту же самую формулу в Джоконде, в ее двоесущности, в ее принадлежности двум мирам. Это человек, как бы принадлежащий двум мирам, не земле и небу, а миру земному и Вселенной. «Джоконда» — это всемиф о всечеловеке. Точно так же, как никогда нельзя быть уверенными в том, что там, где есть эта кремнистая поверхность, там внутри нет воды или нет жизни, исчезающей или, наоборот, зарождающейся жизни, что и показано в «В гроте».

Каким же должен быть Леонардо, если он оставляет нам эти картины? Есть художники, искусство которых совершенно, сама манера их письма совершенна. Леонардо пишет совершенно. Когда автору счастливится побывать в Лувре, он идет смотреть «Анну, Марию, младенца и агнца». Не «Джоконду» и «Мадонну в гроте», смотреть на которую не так интересно. Но очень интересно смотреть «Анну, Марию, младенца и агнца», изучать каждую деталь. Эта картина совершенна, это картина, которая написана так, как современники не писали, она полна воздуха, она наполнена воздухом земли. То, что Леонардо называл «сфумато» — световоздушная среда, в которой мы живем. И от этого влажного сфумато световоздушной среды, от этого влажного воздуха мягкими становятся тени, удивительное вот это лицо, как бы чуть-чуть подернуто всегда около глаз и щек легкими, мягкими тенями, которые делают формы округлыми, чувственными, очень нежными. Леонардо удивительно пишет драпировки, он замечательно пишет платья женщин. Даже в очень ранней его работе, «Мадонне Бенуа», необыкновенно написаны складки платья. Вот эти складки, которые лежат на коленях, — просто смотришь и видишь мойр в Парфеноне. Это, наверное, самое совершенное изображение драпировок.

Та же легкая композиция отличает «Анну, Марию, младенца и агнца», это совершенно написанная картина, созданная небывалым художником.

И вы стоите перед ней и любуетесь ею как произведением искусства. А в ее тайну вам проникнуть очень трудно. И это очень хорошо, потому что обязательно должны быть поэты непрочитанные или читаемые каждым поколением, и обязательно должны быть художники, разгадываемые каждым поколением.

Это и есть настоящая большая культура, художественно-духовная река, которая течет сквозь века, которая течет сквозь народы и которая объединяет всех в едином понимании и единой загадке. И, конечно, прежде всего, Леонардо и есть такой художник.

Северное Возрождение: построение мира

Искусство Возрождения — это материал, досконально обследованный искусствоведческой литературой. После ряда книг (в первую очередь это книга Михаила Дмитриевича Алпатова, связанная с проблемой итальянского Возрождения, и книга Алексея Федоровича Лосева «Эстетика Возрождения») можно сказать, что проблема исследования итальянского Ренессанса, с точки зрения периодизации, с точки зрения эстетики, вопросов изучения отдельных художников, на очень долгое время обеспечена качественной литературой.

Ни одна культура, ни один культурный этап не имеет такого прямого отношения к XX веку, как эпоха Возрождения.

Эпоха Возрождения имеет достаточно четкую четырехчастную периодизацию, принятую не только в отечественном искусствоведении, но и во всем мире. Периодизация эта следующая.

1. Треченто. Так называемая эпоха Данте и Джотто, XIII—XIV веков, Италия (за единицу измерения Ренессанса мы берем итальянское Возрождение, классический образец Ренессанса).

2. Кватроченто, то есть XV век. Столица Кватроченто — Флоренция. Флоренция — художественная столица Возрождения для всего мира, а не только для Италии, это художественное сердце европейской культуры. Все великие писатели, художники, философы, архитекторы либо родились во Флоренции, либо учились там.

3. Высокое Возрождение. Борис Робертович Виппер, один из самых выдающихся советских ученых в области искусствоведения, дает точную периодизацию Высокого Возрождения. Высокое Возрождение длится с 1500 по 1520 год — год смерти Рафаэля.

4. Поздний Ренессанс, XVI век, чинквеченто. Трагический Ренессанс.

Эта периодизация верна только для итальянского Возрождения. Очень долгие годы решался вопрос: можно ли включать северную культуру XV—XVI веков, от Яна ван Эйка до Питера Брейгеля, в объем того термина, который мы определяем как Ренессанс? Эти споры давно кончились, нидерландская культура и культура Германии очень уютно уместились внутри этого термина. Так что мы и северное искусство также включаем в объем искусства Ренессанса. Однако та периодизация, которая принята в Италии, на северную культуру не распространяется, и северная культура имеет несколько иную хронологическую структуру.

И тем не менее, разговор о Возрождении мы начнем не столько со сравнения северного Ренессанса и итальянского Ренессанса, сколько с постановки очень интересной проблемы. Северный Ренессанс, нидерландский, можно назвать миростроительным, а итальянский — человекосотворительным. Итальянская культура все свое внимание сосредотачивает на понятии человека, она возвращается к идее того, что Господь создал человека по образу своему и подобию. Это очень интересное положение — сотворение человека по образу своему и подобию, и Ренессанс итальянский настолько сосредоточен вокруг проблем человеческой личности, что мы его можем называть именно культурой, связанной с человекосотворительством. А вот северный Ренессанс связан с миростроительством. И начнем мы именно с северного Ренессанса.

Карта европейского Ренессанса имеет очень точно выраженную географию: Италия—Нидерланды—Германия. Италия — страна политически раздробленная, страна, не имеющая политического единства. Более того, она в каком-то отношении повторяет историю античных полисов, которые ведут войну между собой, временно объединяясь друг с другом. Потом эти хрупкие союзы распадаются, потом вновь объединяются, это история ни на минуту не утихающей взаимной политической борьбы и междоусобиц. И между тем Италия создает единый национальный язык, единую философию, единую культуру в эпоху Возрождения.

Германия — страна самая трагическая в XV—XVI веках. Ничего более трагического, чем Германия, особенно XVI века, вообразить себе невозможно. Надо помнить о том, что Германия рождает одно из своих чудовищ — Мартина Лютера. Мартин Лютер — очень интересная и сложная фигура. Он был врагом изобразительного искусства, хотя, конечно, большим поборником слова, и немецкая литература многим ему обязана. Но тем не менее, именно Мартин Лютер был очень провоцирующей фигурой в это время. На протяжении целого столетия Германия просто обливается кровью круглосуточно. Это какие-то кровавые пузыри земли, лужа крови, которая определяет бесконечно апокалипсическое сознание немцев XVI века. Оно чрезвычайно трагично и очень интересно окрашивает сознание немецкого Возрождения.

Для того чтобы понять все то, о чем пойдет речь далее, следует остановиться на области, которая обычно в литературе не затрагивается. Нидерланды — это вообще не страна, а огромная территория, включающая в себя современную Голландию и весь Бенилюкс. Страной она не являлась вовсе. Италия — политически раздробленная, Германия тоже состоит из ряда враждующих между собой княжеств, а Нидерланды не страна вообще. Нидерланды — это европейская колония, сателлит герцогства Бургундского, владеют Нидерландами герцоги Бургундские. Людовик XI начинает борьбу за объединение Франции в единое целостное государство. Личность Людовика XI примерно адекватна Ивану Грозному, но только на французский манер, с французской косметикой. У него есть точка дальнего прицела — королевство Бургундское. Бургундские герцоги, которые понимали, что дни их политической свободы сочтены, идут на невероятную изощренную хитрость, изощренный политический шаг. Их позиция была такой: мы уже пропали, нас присоединили к Франции, но Нидерланды мы не отдадим. В результате политической игры Нидерланды перешли к Испании. Этот момент является тем самым моментом, когда мы вступаем в рассмотрение этой очень своеобразной художественной державы. Тогда, когда Нидерланды еще не отошли к испанской короне, а Карл Смелый был еще герцогом Бургундским, при его дворе жил один из самых замечательных людей, связанных с национальным искусством Нидерландов, — художник, алхимик, звездочет Ян ван Эйк.

Ян ван Эйк является фигурой классической и основоположником новой школы нидерландского Возрождения. Фигурой, которая завершает весь художественный объем нидерландского Возрождения, является Питер Брейгель «Мужицкий». Это человек, который был уже участником и свидетелем гражданской войны в Испании, того момента, когда доставшаяся от Карла V Филиппу II несчастная страна подверглась экспансии.

Нидерланды не были политической страной, они страной не были вообще, они были европейской колонией, сначала Франции, а потом Испании. Это были города гениальных ремесленников, но Нидерланды имеют гораздо более интересную тайну: Нидерланды являлись центром всей европейской и общеевропейской христианской ереси, это самая глубокая по христианским ересям страна. Что же это за ересь была такая, которая выходит, становится необыкновенно активной и буквально простотаки укладывается в философию Возрождения? Это ересь очень глубокая, общеевропейская, но к XV веку она всплывает на поверхность в Нидерландах, и она укладывается в философию Ренессанса, иную, чем итальянский гуманизм, но всетаки философию Ренессанса. С одной из самых серьезных идейно-духовных организаций, которые были в южных Нидерландах, в Брабанте, связаны такие личности, как Эразм Роттердамский и Альбрехт Дюрер. У ним там свои съезды, свои симпозиумы, они обсуждают очень важные вопросы. С этой же ересью связаны такие имена, как Иероним Босх, Питер Брейгель, Ян ван Эйк. Следовательно, возможно, стоит эту ересь рассмотреть или каким-то образом приблизить к глазам. Если вы откроете литературу по нидерландскому Возрождению, вы найдете там утверждение, что нидерландский Ренессанс, северный Ренессанс, отличается от итальянского тем, что земля Италии — это земля античности, а у них не было античности. Это была страна миниатюристов, у них не было стен, они не были мастерами стенной росписи, они были мастерами миниатюры, книжной графики, прекрасными ремесленниками, мастерами тонких вещей. И поэтому развитие новой школы идет не через развитие монументальных школ искусства, не через развитие итальянского гуманизма, имеющего историческую память в античном гуманизме, а через преодоление готических традиций и развитие этих реалистических форм, связанных с ремеслом. Очень простое объяснение... и абсолютно неубедительное, потому что здесь существует целая философия миростроительства. И вот эта философия миростроительства — того, что есть мир, и того, что есть человек в этом мире, — это основная концепция северного Ренессанса, и она складывается в Нидерландах, имеет очень глубокие национальные основы. Эти национальные основы частично связаны с художественными традициями, но лишь частично, а в основном они все выросли на особом духовном складе Нидерландов, на этой особой христианской ереси, рассадником которой были Нидерланды.

Рассмотрим все типы композиций, связанных с проблемой миростроительства. Самая распространенная композиция — та, которую очень любил Питер Брейгель «Мужицкий», он очень часто

Капелла Медичи (Новая Сакристия), Флоренция, Италия
Tubantia/Wikimedia Commons

Микеланджело Буонаротти
Гробница Джулиано Медичи. Скульптуры «Ночь» и «День»
ок. 1526–1534
Капелла Медичи, Флоренция

Микеланджело Буонаротти

Гробница Лоренцо Медичи. Скульптуры «Вечер» и «Утро»

ок. 1521–1534

Капелла Медичи, Флоренция

Микеланджело Буонаротти
Мадонна Медичи
1521–1534
Капелла Медичи
Флоренция

Микеланджело Буонаротти
Снятие с креста
(Оплакивание с Никодимом)
1550
Опера-дель-Дуомо,
Флоренция

Микеланджело Буонарроти
Снятие с креста
1499
Собор Святого Петра, Ватикан

Микеладжело
Буонаротти
Давид
ок. 1501–1504
Академия
изящных
искусств,
Флоренция

Леонардо да Винчи
Поклонение Волхвов
1480
Галерея Уффици, Флоренция

Леонардо да Винчи

Святая Анна с Мадонной и младенцем Христом, эскиз

Леонардо да Винчи
Святая Анна с Мадонной
и младенцем Христом,
1508–1510. Лувр, Париж

Андреа Вероккьо, Леонардо да Винчи. Крещение Христа. 1472–1475
Галерея Уффици, Флоренция

Леонардо да Винчи
Крещение Христа, деталь

Леонардо да Винчи. Мадонна с цветком (Мадонна Бенуа), 1478–1480
Государственный Эрмитаж, Санкт-Петербург

Леонардо да Винчи
Портрет госпожи
Лизы дель Джокондо
1503–1519
Лувр, Париж

Леонардо да Винчи
Мадонна в Скалах, 1491–1508
Национальная галерея, Лондон

Леонардо да Винчи
Мадонна в Скалах, 1483–1486
Лувр, Париж

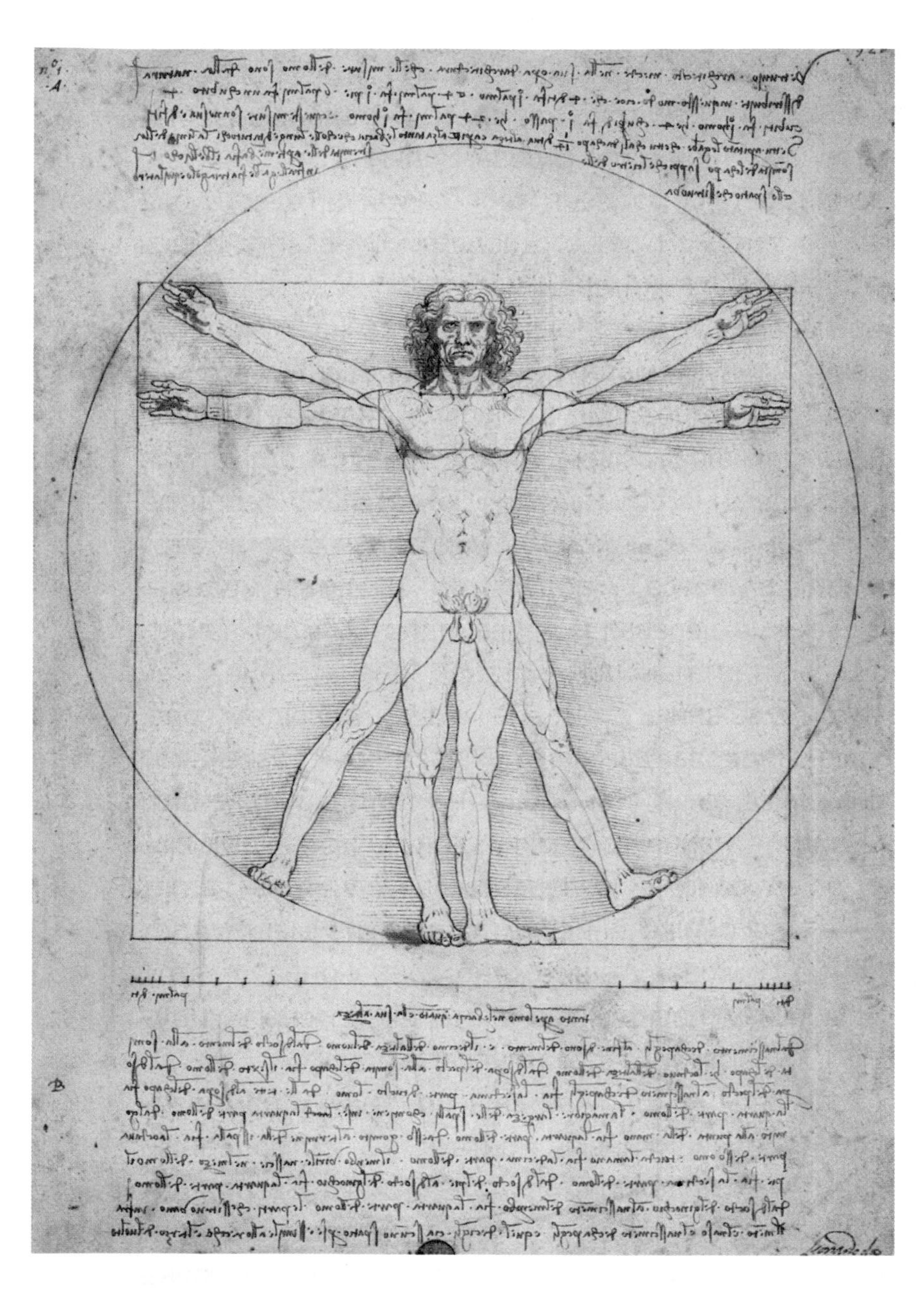

Леонардо да Винчи
Витрувианский человек, 1490
Галерея Академии, Венеция

к ней прибегал. Это композиция, взятая с верхней точки. Если использовать здесь определение планетарности нашего Петрова-Водкина, то это так: «земля, с точки зрения себя самой». То есть она как бы взята с птичьего полета. Это всегда очень высокая точка, которой часто пользовался Питер Брейгель. Что дает эта высокая точка? Она дает очень сильную систему панорамирования, это панорамная композиция, панорама включает в себя очень большой объем мира. Сюда входит земля с точки зрения себя самой. Обязательно исполинские горы, которые как бы упираются своими вершинами в небеса. У полога гор гнездятся маленькие темные деревья и деревни, потом идет какая-то разлитая панорама. Такое впечатление, как будто художник стоит на очень высокой горе, и все Нидерланды лежат перед ним. Затем мы приближаемся к той точке, на которой он стоит. Вы видите какие-то катки, по которым ездят люди, возят саночки с деревом, которым они топят печи, еще ближе к нашим глазам по мосту идет старуха, которая тащит сено. И наконец, с этой точки взяты прекрасные охотники на снегу, идущие с собаками из леса после охоты.

Ренессанс приближается к монтажу, к композиции, композиционный монтаж — излюбленный прием всех художников итальянского Возрождения. Посмотрим «Казнь святого Себастьяна» Поллайоло, как там идет этот монтаж? Вот тут точка схода, главная серьезная точка схода в композиционных монтажных планах, потому что итальянский Ренессанс прибегает к охвату всего объема мира, как земли с точки зрения человека, так и земли с точки зрения ее самой. Им нужен целостной объем того, что есть на земле сверху, и того, что есть на земле от меня. Это монтажный цикл, который мы видим у Поллайоло и у итальянских художников тоже. Есть и другие особенности, которые сближают разные явления между собой. Это проблема «нон-финито» у Поллайоло, проблема незаконченности и незавершенности, специальной незаконченности и незавершенности в художественном произведении. Заметьте, что у Питера Брейгеля то же самое, есть фрагментарность в этой панораме. Посмотрите, как взят кадр: собаки как будто выходят из-за края картины, и эти вертикальные деревья, которые упираются своими пустыми ветками в край композиции, деревушка, которая уходит за левый край композиции, — всюду система незаконченности и незавершенности, фрагментарности, взятой с очень высокой точки, то есть этой самой системы «нон-финито». И еще один момент. У Поллайоло и у всех итальянцев появляется проблема текущего времени как проблема показанного движения. У них «нон-финито» показано или руиной, или дорогой, или каким-то другим способом. У Нидерландов проблема монтажной композиции, то есть большого объема времени, и проблема незаконченности, то есть проблема времени текущего, показаны всегда как система движения — птица в полете, человек идет, охотники идут, собаки идут. То есть то самое движение, как оно есть, проблема времени через проблему сквозного действия, сквозного движения.

И это моменты, которые объединяют новые явления итальянского Возрождения и нидерландского Возрождения, дают возможность вводить их в общий объем культуры.

Но есть и очень глубокая разница между ними. Это принципиально разная точка зрения на мир, как на модель. И дело здесь не в итальянцах, у которых была память об античности, и не в нидерландцах, которые ничего кроме готики не имели. Дело здесь в том, что нидерландцы по мышлению, по сознанию своему были очень особой страной. Мы с самого начала во всех картинах нидерландских художников сталкиваемся с двумя противоположными и с двумя противоречивыми началами. Это начало мира и начало человека в мире.

Мир есть понятие абсолютное, а человек есть понятие относительное. Мир есть понятие незыблемой тверди, человек есть понятие скольжения по поверхности, как птица при полете. Мир лежит перед Питером Брейгелем в божьей ладони, весь здесь, величественный, могучий, сотворенный. И он всегда показывает это творение фрагментарно, но во всем величии. Взглянем на еще одну композицию Питера Брейгеля — «Времена года». Но вы не думайте, что речь идет только о временах года, это ведь принцип философии, понятие хронотопа. Здесь то же самое, здесь этот монтаж еще более отчетлив, еще более конкретен: художник дает эту точку сверху и дает этот мир сотворенный, на ладони лежащий, безупречный мир, великолепно созданный мастером, сотворившим его в семь дней. А здесь на переднем плане великолепное дерево, которое дает эту точку сверху вниз, и вокруг этого дерева идет сразу же группа людей. И какая разница, какой невероятный разрыв между тем, как прекрасен, как совершенен мир, и как относителен в своей ценности человек. Поэтому мы и говорим, что идея нидерландского Ренессанса другая, при всем том, что понятие хронотопа общее, понятие элементов этого хронотопа, то есть пространство и время, тоже общее. Даже попытка создания монтажной композиции общая. Но при этом итальянцы строят человека, Бог создает человека по образу и подобию своему, вот их точка. У нидерландцев — Бог создал мир в семь дней, понятие миросотворения. И это понятие мира для них первично, а вот человек внутри этого мира существует в каком-то очень сложном состоянии, взаимодействии и взаимосвязи с этим миром.

И когда мы будем рассматривать эту проблему сотворения мира, миросотворения, мы будем рассматривать все во взаимосвязи: мир, созданный Богом, и человек внутри этого мира. Потому что у итальянцев нам придется рассматривать то же самое, только наоборот — человек и мир перед человеком. Обратная система связи: здесь человек в мире, а там мир в человеке. Там есть макрокосм, а здесь еще есть макрокосм, который предопределяет собой, что он есть полная мера вещей. Вот эти две системы мы и рассмотрим.

Первая композиция наиболее классическая, на ней останавливаться нет никакого смысла. Это модель, снятая с высоты птичьего полета, с очень высокой точки, взятая в очень остром монтаже с передним планом, с резким ракурсом снизу вверх, вмонтированная в эту панорамную композицию, вероятно, просто склеенная. Мы можем видеть эти стыки, где это склеено, как все вмонтировано замечательно. И это общая концепция мира, затем начинаются вариации на эту тему.

Вариации на эту тему есть у Брейгеля и у Босха. У Брейгеля это «Фламандские пословицы и поговорки». У Иеронима Босха — один из фрагментов «Страшного суда».

Прежде всего Брейгель, «Фламандские пословицы и поговорки». Здесь та концепция, о которой мы говорили, она не изменилась, она здесь не полностью дана, здесь только фрагменты. Что это за картина? Это картина, которая очень остроумна, очень фольклорна, художник разрабатывает, иллюстрирует фламандские пословицы и поговорки. Задача этой картины притчево-назидательная, эта картина нравоучительная, она построена по тому самому принципу нравоучений и назиданий, по которому Брант строил свои нравоучения и назидания. То есть это была инверсия перевернутого смысла от смысла прямого, это было инвертирование в силу буквальности. Существует такая пословица «Заставь болвана богу молиться — он себе лоб разобьет». То есть она имеет определенное предостережение внутри себя. Или идея некоторой модели мира — метафоры, узловой метафоры мира, в которой он вот так себя выражает. Питер Брейгель создает инверсию в силу ее буквального воспроизведения: вот стоит тип и колотится головой о стенку. «Не рой другому яму» — стоит и роет. Этот буквально мечет яблоки перед свиньями, этот пытается пройти сквозь земную сферу. Этот — «не поваляешь, не поешь»: сначала выбрасывает всю кашу, а потом будет снова собирать в этот таз и есть. Здесь есть яйца, которые учат, собаки, которые грызутся из-за кости. Здесь буквально весь объем всех пословиц и поговорок, которые на нашем языке иначе звучат, но они существуют. Есть очень интересный персонаж, только непонятно, какая пословица подразумевается. Он сидит в дырявой корзине, его голый зад провисает из этой корзины, но ему это положение в жизни почему-то кажется очень комфортабельным, он его ни в коем случае на свой счет не принимает, он его как бы игнорирует и, наоборот, чрезвычайно величественен, потому что из этой корзины показывает нос всему человечеству. Все, что с ним происходит, это прекрасно, он на вершине такого величия, что может всему человечеству нос показывать. Этот фрагмент стоило бы на больших плакатах на улице повесить: люди, подумайте немного о себе, как там у вас насчет корзины?

Эта инверсия (нравственно поучительная инверсия, прямой смысл вместо перевернутого, когда Брейгель перевернутый смысл делает прямым) ведет к некоему чрезвычайно интересному результату. Восприятие мира как метафоры абсурда. Мир абсурден через деяния людей, не через божественное сотворение, а через человеческие деяния. Мир прекрасен, это люди превращают его в абсурд своими деяниями. Поэтому антитеза мирчеловек разрешается нидерландским гуманизмом, нидерландской мыслью, северной мыслью именно как разница между божественностью сотворения и результатом этого сотворения. Господь создал мир великолепным, и мир незыблем, он прекрасен, зло исходит от человека, абсурд исходит от человека. Это люди умудряются прекрасный мир превратить в ад абсурда на земле. Мы берем Питера Брейгеля как художника национальной формы, потому что эта форма распространяется на абсолютно весь объем нидерландского искусства. С таким же успехом можно было бы взять любого другого художника: у всех картины имеют расчлененную композицию.

Если принимать во внимание тот термин, который вводит Леон Баттиста Альберти, а он композицию расшифровывает как согласие, слияние, как слияние через пропорцию и соответствие, то слово «композиция» к этим картинам не подходит. Для итальянского Возрождения под словом «композиция» подразумевалось некое слияние, некое согласие на основе пропорций и соотношений. Что же касается композиции северного искусства, особенно искусства нидерландского, то ее в силу этой фрагментарной картины мира, расчлененности, внутренней расщепленности, с точки зрения итальянского понятия композицией назвать нельзя. Она чрезвычайно фрагментарна, в ней есть большой набор фрагментов, совершенно изолированно существующих, никак не связанных между собой. Как будто в этом огромном мире каждый элемент в этой фрагментарной композиции существует независимо от другого и не знает о существовании другого. Мой мир абсурден сам по себе, а ваш мир абсурден сам по себе. А вместе все это называется сумасшедший дом, или все вместе это называется жизнь, с точки зрения обывательской логики. Эти пословицы — отжимки обывательской мудрости, художник превращает их в набор таких абстрактных абсурдов.

И когда мы сравниваем этот ад, данный Питером Брейгелем в виде пословиц и поговорок, с фрагментом «Страшного суда» Иеронима Босха, то понимаем, что принципиальной разницы здесь нет. Люди умудрились прекрасную землю превратить в ад. Только Питер Брейгель дает это с точки зрения иронической инверсии, а Босх это дает с точки зрения трагического кошмара. Мы сравниваем эти фрагменты только потому, что принцип построения абсолютно тождественен. Это тоже расчлененный на части, фрагментарно взятый мир во всех своих элементах и деталях.

У Иеронима Босха это «Страшный суд», у Питера Брейгеля — «Фламандские пословицы и поговорки». Но они живут в разное время. Какая же у них общая традиция, что у них общего, почему мир выглядит глазами одного и другого художественно разным, а философски одинаковым?

Посмотрим на картину, которую можно расценивать как узловую метафору для всего нидерландского искусства. Это очень редкая картина Питера Брейгеля, она редко воспроизводится. Эта картина — метафора в чистом виде. В картинах Питера Брейгеля есть такие узловые метафоры, и картина «Обезьяны» — это узловая метафора нидерландского искусства. Здесь мы сталкиваемся с теми же самыми двумя планами, о которых шла речь: план мира, сотворенного Богом, и план мира, сотворенного человеком.

План мира, сотворенного Богом, мы видим в проем люка, окна, а вся метафора Питера Брейгеля укладывается в объем: вот эти две обезьяны — это неволя и бессмысленность существования. Образ этой неволи — цепь, бессмысленность существования — пустая скорлупа от орехов, которая валяется вокруг обезьяны. Несмышленыши, макаки с отсутствием опыта сознательной деятельности, откладывающейся в сознании. На каждом витке своей жизни, будь то строительство вавилонской башни когда-то или XVI век, они повторяют одни и те же ошибки, они могут быть в такой тупой невероятной повторяемости только у бандерлогов. Хотя тогда еще не было Киплинга, и это племя не называлось бандерлогами, но Питер Брейгель точно показывает характер, как и Киплинг, он точно ударяет в мартышек. Между прочим, в традициях у них это очень сильно: когда они хотят создать метафору бессмысленной человеческой деятельности, они показывают драку между макаками, то есть дают очень обидную параллель двух зооморфных форм, близких, но не тождественных.

Картина великолепно скомпонована: этот объем круга, эти хвосты, это круговое движение внутри картины, это кольцо цепи, понятие круга, кольца, кругового движения внутри. Это не только неразрывность и повторяемость, а круг как повторяемость одного и того же, как некий исторический опыт, который не оставляет никакого следа в сознании, или как неизбежность.

Следующая композиция, которую мы рассмотрим, очень важная для Нидерландов, — это композиция круга, композиция зеркала. Здесь мы возьмем в качестве примера картины Иеронима Босха.

Композиция круга встречается в эпоху Возрождения как в искусстве итальянском, так и в искусстве нидерландском, и означает она одно: эта композиция называется «тондо». Она называется зеркалом, это излюбленная композиция эпохи Возрождения, она рождается с эпохой Возрождения, и с ней связана одна из интереснейших проблем — проблема зеркала в искусстве. В эпоху Возрождения также возникает хронотоп, то есть пространственная временная державность. Возникает монтажная форма в искусстве, проблема «нон-финито» и текущего времени, возникает проблема движения, метаморфозы, и также возникает проблема зеркала в искусстве и уже никуда из искусства, вплоть до наших дней, не уходит.

Только когда итальянцы дают зеркало, они дают его как образ идеального, как зеркало мира. Или еще один очень интересный смысл — око божье, идеальное, фиксирующее, фотографирующее этот мир.

А сейчас мы подходим к очень остро стоящей в Нидерландах проблеме — проблеме круга или проблеме зеркала. Это тоже зеркало, отражающее мир, но это зеркало другого начала. Это то, что

Бахтин деликатно называет словом «низ», оставим за ним этот термин. Он говорит о проблеме амбивалентности, низа и верха, и очень пространно и тонко объясняет нерасторжимость этих двух понятий. Так вот, то, что Бахтин деликатно называет этим словом, этот низ держит зеркало перед лицом верха. Этот интересный прием вводит именно Босх, а за ним этот прием очень чутко воспроизводится самыми разными нидерландскими художниками. Это зеркало, которое держит перед богом дьявол: «Вот, посмотри, хороши твои дела, Господи». Или осколок, или око дьявола. Итальянцы не принимают во внимание знак «минус», они принимают во внимание только знак «плюс». Как у них появляется трагическое начало? Оно появляется как новое понятие самосудности или категория совести, Страшного суда внутри, но в мире, объективно, у итальянцев знак «минус» ни перед чем не стоит. Этот знак минуса, знак негативного рассмотрения явлений вводят нидерландцы, вводя зрачок дьявола или зеркало, которое он держит и говорит: «Посмотри». Они дают эту тему амбивалентности, плюса и минуса, сменяемости плюса на минус, этого кругового движения, тондо. Это зеркало, это зрачок, в котором мир отражается не буквально, а изображается сущность происходящего, узловая метафора.

Показывает свой прекрасный мир и Босх. Он показывает одного из своих любимых персонажей. У него есть большая серия, связанная с искушением святого Антония, и «Искушение святого Августина». Босх показывает грядущего святого Августина, который ничего вокруг себя не видит: вокруг прекрасный мир, деревья, поля, и он так гармонично существует внутри этого мира. И все вообще было бы прекрасно, все было бы безоблачно, если бы не этот персонаж, который к нему подходит, а так как тот полон высоких дум, то персонаж просто быстренько срезает кошелек. Но дело в том, что в этом персонаже есть нечто большее, чем в обыкновенном карманном жулике, который грабит задумчивого, преданного своим мыслям простофилю. Он у Босха, заметьте, взят в земную сферу. Это сфера, которая существует в сфере. Это отдельная сфера, эти две сферы взяты как единая амбивалентная метафора. Это очень знаменательный господин, его можно весьма расширить в его сфере.

Так вот, эти явления впервые становятся предметом рассмотрения в нидерландском искусстве в очень большом объеме в силу одного интересного обстоятельства: еретического учения относительно апокалипсиса. Это была весьма серьезная секта. Называли они себя адамиты. Эта секта включала светлейшие умы Европы, европейского Просвещения, и они говорили просто: апокалипсис начался. И началом апокалипсиса они считали начало XV века, начало итальянского Возрождения. Он уже начался, он уже идет. У них была очень интересная теория. Надо сказать, что в эту секту входили Эразм Роттердамский, Дюрер и много менее известных художников, а также Питер Брейгель «Мужицкий».

Что касается Иеронима Босха, то он был одним из самых крупных деятелей этого движения. Они считали, что врагом человечества является технический прогресс, у них очень серьезно была по этому поводу разработана теория. Что делает с человеком машина? Что делает с человеком технический прогресс? Если вы внимательно посмотрите на картины Иеронима Босха, то увидите, что у него все идет к регрессу, не к прогрессу, а к регрессу. Низвержение человека в ад идет по линии нарастания технического прогресса, а ад у него воплощает торжество технического прогресса. И поэтому мы видим у него технические вещи, великолепные, такая сверхтехника, которая у него всюду дана, и эти работы так и называются — «Дорога в ад». То есть это развитие апокалипсических форм. Если ранее считалось, что апокалипсис – это конец эсхатологической точки, то Босх как бы говорит: ничего подобного, не рассчитывайте, с XV века 500 лет будем вот так жить, мы не знаем, внутри чего существуем, и радуемся, как тот человек в корзине.

У адамитов было много всяких интересных вещей, потому что людьми они были до чрезвычайности учеными, и в настоящее время исследователи творчества Иеронима Босха обнаружили несколько смысловых слоев в его картинах. Мы говорили о том, что у Питера Брейгеля есть узловая метафора, и у него есть притчево-нравоучительный смысл. А у Иеронима Босха есть и метафора, и притчево-нравоучительный смысл, и астрологический смысл, и вполне адамитский смысл, то есть у него каждую вещь можно прочитать по трем или по четырем слоям. Творчество Иеронима Босха всегда кажется загадочным. О нем пишется невероятное количество книг, которые связаны только с одним — составлением алфавита. За нидерландский реализм мы принимаем реалистическое изображение познаваемых нами предметов. Есть не реализм, а есть знаково-семантическая форма, есть знак, алфавитная система, которой пользуется Иероним Босх. Например, известно, что один из самых богатых алфавитных знаков — это туфли. Туфли — это алфавит. Каждый предмет, каждый знак есть алфавит. Задача заключается не в том, чтобы рассказать о том, что он делал, а в том, чтобы дать в руки людям алфавит. И как только в руках у читателя будет алфавит, читатель, он же зритель, будет занят увлекательнейшей работой — раскрытием смысла картин Иеронима Босха, а также Питера Брейгеля «Мужицкого».

Остановимся на «Блудном сыне», поскольку это дешифрованная вещь в данный момент, и в ней обнаружено несколько слоев. Один слой притчевый, притчево-нравоучительный. Это притча о блудном сыне, которую нет нужды рассказывать, потому что все ее знают. Второй смысл этой вещи — метафорический. Третий смысл — астрологический. Здесь изображена планета Сатурн и сатурняне. Четвертый смысл — адамитский, которого мы не знаем, а те, кто знают, не публикуют.

Можно сказать совершенно точно, что это одна из самых интересных европейских ересей, самых древних и имеющих для нас необыкновенно большое значение просто потому, что адамиты связывали апокалипсис с явлением технического прогресса. И точку апокалипсиса они относили к началу XV ве-

Иероним Босх. Блудный сын. 1510. Музей Бойманса ван Бёнингена, Роттердам

ка. Это были очень знающие, ученые люди. У Иеронима Босха в «Сотворении человека» изображена каучуковая пальма, да не просто каучуковая пальма, а еще с очень характерным для нее плющом, который на ней находится. А какое количество животных, какое количество носорогов у Иеронима Босха! Откуда этот невероятный набор знаний?

Однако, вернемся к блудному сыну. Притча о блудном сыне очень нравоучительная, серьезная и трогательная. У Рембрандта она взята в самодостаточности своей, именно в проявлении этого нравственного смысла самой себя. А здесь она является образом изгнанничества, ухода: этот горемыка уходит из своего отчего дома. Он нищ, он наг, деревня бедна, и беден дом. И вот, из этого убогого мира, представленного нам в зеркале того самого господина, Босх поворачивает и показывает одну из картин мирского бытия, вечно в метафоре, вечно повторяющейся.

Характеристика самого блудного сына связана с очень подробным описанием его костюма: продранные брюки, на ногах две различных туфли. Они непарные, они от разных пар: туфля от одной пары туфель и шлепанец. Это свидетельствует об очень дурном внутреннем признаке, о величайшем несогласии человека с самим собой. О том, что называется сейчас на нашем языке «психическая дискомфортность». Это не столько признак нищеты или рассеянности личности, сколько признак дискомфортности внутренней, разлаженности человека с самим собой, а также разлаженности человека с миром. Одна рука не знает, что делает другая. Есть такая пословица. А здесь одна нога не знает, что делает другая, во что обута. В руках у него клюка. За спиной у него короб, на этом коробе у него деревянная ложка и шкурка от кошки. Рассмотрим эти детали.

Деревянная пустая ложка означает бессмысленность жизни, пустоту. Сколько вольешь, столько и выльешь, ничего не остается. Это то же самое, что показать решето на голове, язык ложек тот же самый, что язык туфель. Что касается кошки, то обратите внимание на то, что у него есть еще шило и нитка. Это значит, что он шил кошелек, делал из кошек муфты, кофты, шубки, он был кошкодером, кошколовом. И на коробе у него висит кошка, это его реклама. И это самая низшая форма занятия и существования. Если вы полагаете, что у Михаила Афанасьевича Булгакова один из его героев охотится за кошками случайно, то ничего подобного. Булгаков был очень образованным человеком, и он имел в виду этот уровень развития интеллекта и духовного мира, самый низший из всех, который мог быть. Ниже просто некуда, и мир вокруг него также убог. Свиньи, которые едят из одного корыта, — это знак проституции. Бешеная собака, человек, отправляющий свои надобности за углом, красное копье, стоящее у продранного дома. Речь идет об уровне самого низа, и он сам является сыном этого отечества. Поэтому, помимо того, что здесь дан притчевый смысл, здесь для психологов хранится необыкновенный по насыщенности и богатству материал, дешифровывающий объем этого понятия. Он ведь расшифровывается в каждом элементе: ремесла, рода занятий, психологии этой личности, психологии мира, объема этого мира, он является осколком в зеркале этого самого сотворенного, который держится перед оком.

Здесь есть еще один смысл — астрологический, потому что все адамиты были блистательными астрологами. В XV веке астрология была развита до чрезвычайности, и в каждой картине Босха очень большой астрологический смысл. Здесь есть изображение планеты Сатурн. Сатурняне — ремес-

Альбрехт Дюрер. Возвращение блудного сына. 1496. Галерея Кунстхалле, Карлсруэ

ленники самого низкого плана, Сатурн — планета двух противоположностей, двух противоположных точек. Поэтому Марсилио Фичино, который очень серьезно занимается астрологией, пишет о том, что нынче быть рожденным под планетой Сатурн очень даже модно, потому что если Дюрер — сатурнянин, как и Леонардо, то выше тянуть некуда, потому что это планета противоположностей, гениев и самых убогих людишек на земле. Кстати, Михаил Афанасьевич Булгаков раскрывает характер своего кошколова так же, как характер сатурнянина. Изображение Сатурна — собака, изображение Сатурна — корова. Время года — поздняя осень, ранняя зима. Дерево, птица, которая на дереве, собака, копье — это все атрибуты, связанные с изображением Сатурна. Внутренний органический смысл этих вещей нам неизвестен. Это второй принцип композиции, объема зеркала.

Третий принцип композиции. Посмотрим на картину Яна ван Эйка «Мадонна канцлера Ролена». Мы видели открытые панорамные композиции, мы видели зеркало как узловую метафору мира (в основ-

Ян Ван Эйк. Мадонна канцлера Ролена. 1435. Лувр, Париж

ном это зеркало, которое некий персонаж держит перед очами) и, наконец, это композиции, как бы похожие на итальянские, с развернутым перед нами трехмерным пространством. Эта композиция принята Яном ван Эйком, Лукой Лейденским, Квентином Массейсом, Мемлингом. Это композиции больше северной школы, более умеренной. Однако принципиальной разницы между этими композициями нет. Если Питер Брейгель делает эту панорамную проекцию на мир наездом фрагментарным и на переднем плане дает склеенный фрагмент, то здесь эти вещи просто разделены. Сидит канцлер Ролен на террасе перед Мадонной, над которой ангел держит ее венец. Отбивка, идет колоннада дворца канцлера Ролена, наместника герцога Бургундского в Нидерландах, а потом идет панорама. Причем эта панорама дается необыкновенно утонченно, она дает современную, великолепную кинематографическую раскадровку, она дает элемент связи в виде двух фигур, стоящих на мостках, она дает крупный план, потом она дает средним планом, как бы соединительным, эти две фигуры, потом она дает панораму наезда и, конечно, эти горы. То есть она все равно дает универсальный объем, все равно соединяет через прекрасный смысловой, художественный и художественно-логический переход. У Брейгеля это просто более динамично, он склеивает передний план в общую панораму.

Посмотрим на другую композицию Яна ван Эйка такого же типа. Здесь нет таких взятых открытых панорамных систем, но здесь есть введение предстоящих святых. У него есть отдельно локальные замкнутые формы, которые не меняют прекрасную Мадонну Яна ван Эйка, держащую младенца. Эта вещь очень интересно решена по объему пространства, потому что вы это пространство воспринимаете не как самодостаточное, а как фрагментарное. Если вы не видите введенной панорамы, то все равно воспринимаете его как пространство фрагментарное, как будто вам показывают не картину целиком, а лишь фрагмент какой-то картины. Вы предполагаете некий объем, лежащий по сторонам и за пределами этой комнаты гораздо больше, чем если бы он был введен. Так что сути это не меняет.

Теперь подойдем к этой же самой проблеме с другой стороны. Мы все время сталкиваемся с контрастными состояниями двух величин, абсолютно большой и малой. Мы сталкиваемся с контрастом состояний абсолютных вещей и относительных вещей, мы сталкиваемся с амбивалентным объемом верха и низа. Мы сталкиваемся с очень сложным объемом состояний, работающим на разности величин, но отношение художника внутри этого объема мира очень любопытно. Вот перед нами «Мадонна канцлера Ролена». Посмотрим на одну деталь этой картины. Эта деталь — венец, который держит ангел над головой Мадонны. Это не просто изображение венца, вы видите, как этот венец проработан, как сделаны камни, жемчуг, эти жемчужные ветки. Посмотрите на волосы у ангела, как они у него наверху венцом тяжеленьким придавлены, и как они светятся, это чистый свет, они какие-то воздушные, светом пронизаны, виден почти каждый волосок. А руки? Посмотрите, какие ямочки у каждого пальца. Но ведь так же сделана вся картина целиком, это картина, которую следует рассматривать в лупу, так сделана каждая половичка у пола, так сделана кайма на платье, так сделана ткань у канцлера Ролена.

Взглянем на еще одну деталь Яна ван Эйка из другой картины: просто кусок ткани, кусок драпировки. Посмотрите, как им написан знаменитый утрехтский бархат, шитый золотыми нитками от руки. А если вы возьмете картину Питера Брейгеля, вы столкнетесь все равно с той же самой системой проработки мира. Там нет таких дворцовых деталей (Ян ван Эйк был придворным художником и очень любил красивые детали), но у него есть старуха, которая несет хворост, так у нее видна каждая хворостинка. То есть это совершенно особая система — в этом сложном, амбивалентном, противоречивом состоянии создать абсолютную изобразительную целостность, которая видна в том, как художник делает деталь. Если посмотреть на эту картину, то здесь удивляться можно каждому элементу: тому, как сделан ковер, как кайма лежит по этому ковру, как сделан весь трон, на котором сидит Богоматерь, и венец на ее челе. Эти тексты алхимически просто потрясающие, художник всюду вводит этот алхимический текст в полном его объеме, в полном его алфавите, когда он дает мир, сотворенный великим мастером, и мир фокусника, который делает фокус, делающий то же самое. А вместе с тем есть еще один мир, мир подлинный, мир ремесленников, которые делают мир столь же совершенным, сколь совершенным делает его великий мастер. Художник по сути есть мастер, но вместе с тем он есть и творец. Он есть творец, который сотворяет мир в полном объеме, но он есть и ремесленник, который сотворяет его в каждой его части. И это концепция гуманизма у итальянцев, а объем мира они берут один и тот же. Они тождественны, но только итальянцы берут его под знаком человекосотворения, то есть под знаком гуманизма, неоплатонизма, а нидерландцы берут под знаком миросотворения. Мастер — мастерство — миросотворение, и в этом миросотворении полный объем рассмотрения этого сотворения, через все абсолютно параметры и детали. Поэтому итальянцы, которые берут объем мира через гуманизм, не имеют знака минуса, а сознание всех Нидерландов обязательно должно его иметь. Потому что оно обязательно имеет того, кто поддерживает зеркало снизу, обратную амбивалентную единицу.

Возьмем картину Яна ван Эйка «Обручение Арнольфини». Манана Ираклиевна Андроникова доказала, что это не обручение, а портрет самого Яна ван Эйка с женой. У него всюду, во всех картинах бракосочетания, метелка, отгоняющая злых духов, Маргарита, попирающая Дракона-соблазнителя, яблоки, которые едят в знак перемирия и раздора, туфли, стоящие носами в разные стороны — поссорились, а если внутрь, значит, помирились. То есть у него везде идет эта тема борьбы. А сам этот человек, который так писал свои картины, Ян ван Эйк, был не просто художником, он был выдающимся алхимиком при дворе герцога Бургундского и создателем масляной живописи в Европе — такой, равной которой в Европе не существует. Его картины не жухнут, его картины не покрываются патиной времени, потому что он писал совершенно особыми, изобретенными им самим смолами. Он был выдающимся химиком, и даже не химиком, а чисто алхимиком. Герцог Бургундский был крестным отцом его детей. Считалось, что в картине «Обручение Арнольфини» показано, что в дверь входит Ян ван Эйк со слугой, а Манана Ираклиевна Андроникова доказала, что это изображен сам Ян ван Эйк со своей женой, а в комнату входит герцог Бургундский, который навещает их в день бракосочетания. Как вы видите, это были люди с очень сложным объемом автобиографии.

Занятия алхимией для всей Европы к XV—XVI веках были очень распространены. Папа Пий II занимался тем, что делал химическое золото и пускал его на рынок, это сейчас вещи совершенно известные. Но центром этой еретической культуры были, несомненно, Нидерланды. И художественное сознание нидерландского Ренессанса во всем своем объеме вырастает из алхимического сознания Нидерландов, потому что Нидерланды являются территориальной колонией и центром такого удивительного еретического движения, как адамитство, с которым связана основная группа северных нидерландских художников.

Пространственная эволюция и портрет в искусстве эпохи Возрождения

Рассмотрим работу художника XV века Франческо дель Косса. Вспомним Доминико Венециано, у которого обе фигуры, архангела Гавриила и Девы Марии, были поставлены так, чтобы не мешать главной пространственной теме этой композиции, развитию этой пространственной среды. В композиции Франческо дель Косса «Благовещение» мы видим те же самые принципы. У него необыкновенно сложно и красиво разработана система пространственного построения, где Дева Мария, стоящая внутри арочного свода, подчеркивает двойную систему этих арок, то есть создает очень четко расчлененное кулисное пространство, и затем центральная колонна, которая уводит нас в глубину этого пространства, создавая его протяженность. Здесь мотив арок с его глубинным значением, с одной стороны, организует пространство переднего плана, давая кулисное построение, а с другой стороны, он и справа, и слева перекрывается какими-то формами, как бы ликвидируется.

Эволюция сознания эпохи Возрождения и формирование полного объема неоплатонических идей проявляет себя в творчестве Рафаэля.

Следующий и последний этап в развитии пространственной системы эпохи Возрождения для анализа наиболее сложен, потому что это появление света, умение художниками уже применять цветовую систему — не как формальную, а как

Рафаэль Санти.
Автопортрет.
1506.
Галерея Уфицци,
Флоренция

образную, пространственную, дающую нам представление об объеме мира. Но прежде чем перейти к ней, надо сказать несколько слов о Рафаэле, поскольку это один из центральных художников эпохи Возрождения, художник, по каким-то весьма серьезным обстоятельствам, никогда не знавший художественного забвения. Та огромная слава, которая окружала его при жизни, сопровождает его и поныне. Когда футуристы писали свой манифест, единственным из старых художников, кого они упомянули, был Рафаэль: «сбросим Рафаэля с корабля современности». Это имя было выбрано не случайно, именно потому, что Рафаэль через себя создает очень устойчивую традицию в европейском искусстве, никогда не знавшую заката. И для этого есть очень большое количество причин, весьма серьезных. Рафаэль является не только художником, любимым во всей классической, неоклассической, академической живописи, он является одним из серьезнейших художников для художественного экспериментирования и исследования.

Когда Пабло Пикассо завершил какой-то круг поисков, он сказал о себе так: «Как Рафаэль я уже умею, теперь я хочу научиться как дети». Это очень глубокая, очень интересная мысль. Что значит «как Рафаэль я уже умею»? То есть он уже, как Рафаэль, постиг все тонкости интеллектуально-структуральной формы, все тонкости организованной мыслью формы. А теперь ему необходимо раскрыть себя для первичного, чистого, эмоционального, глубинного восприятия, начать все сначала. Потому что Рафаэль является вершиной вот этой особой предельной интеллектуально-структуральной организованности в искусстве.

Рассмотрим фрагмент росписи станцы в Ватикане, росписи Станцы делла Сеньятура, для того чтобы обратить внимание на удивительное явление. Сама архитектура этого помещения как бы не пригодна для росписи. Это помещение очень небольшое, сложно сформированное, с точки зрения архитектуры, как пространство. Обратим внимание на низкую боковую дверь, такая же точно дверь и в противоположной стене, это анфиладное помещение. Посмотрите, какие глубокие архитектурные своды здесь, какие тяжелые паруса и, наконец, какое большое, нескладно пробитое в стене окно. То есть организация архитектурного пространства в высшей степени сложная и, на первый взгляд, нескладная. Но когда мы с вами смотрим на этот фрагмент, нам кажется, что это не живопись, написанная на стене, а как бы архитектура, организованная под живопись.

Посмотрите, до какой степени связь между живописным архитектурным пространством организована и органична, как Рафаэль глубоко понимает возможности этого невозможного для живописи архитектурного пространства, как он строит многофигурные композиции — до такой степени организуя их через архитектуру, что архитектура кажется вторичной по отношение к этой живописи. Он даже использует угол окна — там сидит фигура, опирающаяся на угол, такое впечатление, что окно прорублено для того, чтобы она оперлась. Это образ высшего синтеза архитектуры и живописи, пример необычайно глубокой художественной интеллектуальной организации пространственных систем. Когда мы смотрим на Рафаэля, поражает один любопытный факт. Человек прожил неполных 37 лет, человек оставил после себя неимоверное количество работ, живопись большого объема, портреты и, наконец, росписи в Ватикане. При этом Рафаэль очень большое время тратил просто так, как его не тратил Микеланджело. Он принимал участие в папских пирах, в охотах, в развлечениях. У него очень большое количество времени уходило на то, что мы сейчас называем светской жизнью, то есть он не брезговал придворной жизнью ни во Флоренции, ни тем более в Риме. И вместе с тем, когда мы с вами обращаемся к графическому эскизному наследию Рафаэля, оно мизерно, оно ничтожно. Это картон — большое количество, это какие-то почеркушки, рисунки, то есть такое впечатление, что в живописи он прямо переходит к стене. Для него подготовительный этап работы — это расчет стены, расчет ее по масштабу, это прикидывание пространственной системы, не более того. Он работает в живописи, прежде всего, как архитектор, он конструирует живописное пространство, он конструирует форму, он организует ее. А после того, как он ее организовал, он начинает с этого, для него пространство, будущая картина есть уже содержание этой картины. И если он пишет «Мадонну Альбу», то для него содержание этой картины — обрез сферы и 3,5 витка, которые делает эта композиция. Вот это и есть содержание картины. Это и есть уже семантический знак, который раскрывает образ его будущего полотна или образ его будущей фрески. И если он выстраивает собор святого Петра внутри этой арки, то количество фигур, которое располагается внутри этой архитектуры, для него уже не представляет проблемы. А у нас такое впечатление, что они свободно двигаются, свободно передвигаются внутри этого пространства. У него первоначальное мышление, это мышление архитектоническое, это продолжение той системы, которая была наработана тысячелетиями европейского сознания.

Когда европейское искусство приходит к следующему этапу, после XVII века, живописцы теряют связь с монументальным мышлением и с пространственно-архитектурной средой, что сильнее всего ударило по XIX веку. Когда перед художниками XIX века становятся те же проблемы, которые заставляют их переходить к многофигурным композициям, сложно организованным в пространстве (как, скажем, картина Александра Иванова «Явление Мессии народу», или картина Сурикова «Боярыня Морозова», или творчество Делакруа), то вот тут-то они и чувствуют свою беспомощность, вот здесь они и начинают осыпаться, и начинается погонный километр этюдной работы. Когда вы входите в зал Сурикова, где висит «Боярыня Морозова», и представляете объем подготовительных работ, вы понимаете, что жизнь человека ушла на эти работы. А потом, в итоге, работы закончены, а сани не едут. Это же трагедия, когда художнику на готовую картину нужно метр холста надставлять, потому что не происходит главного — не едут сани. Потому что мышление идет, пишет Александр Иванов отдельными фигурами, они не решают сначала идею, как решал ее Рафаэль. У них происходит очень большой отрыв от системы психологического и художественного сознания Ренессанса, они теряют этот главный и основной навык. Вот почему Рафаэль всегда для всех художников остается абсолютным примером. Это нужно, чтобы пережить XIX век, чтобы искусство снова вернулось к этому синтезу, потому что чувствуется, что на протяжении трехсот лет этот синтез был потерян, связь была потеряна, а у Рафаэля она была в совершенстве.

Но на творчестве Рафаэля мы можем видеть и другое очень интересное явление — это распад неоплатонизма, его разрушение, расслоение. «Мадонна Альба» является своеобразной вершиной его творчества, потому что это вершина и философского сознания Ренессанса, когда он переходит от этой высшей формы линейной к сферической и решает идею на 3,5 витках этой спирали. Потом начинается расслоение этого ренессансного неоплатонизма, который лежит в основе политического и философского сознания. Это опять-таки сказывается на творчестве Рафаэля. Если душу человека ведут четыре коня, то душа Рафаэля была растащена: два коня понеслись в одну сторону, а два — в другую. Его разорвало на две части. Его художественный синтез лопнул, лопнул и растащил его душу на два коня в одну сторону и два коня в другую сторону. Вероятно, это и есть причина смерти Рафаэля, а не что-либо другое.

Что произошло? Рафаэль в 1517 году пишет свой общепризнанный шедевр, шедевр мирового искусства — «Сикстинскую мадонну». Мадонны Рафаэля и «Мадонна Альба», в частности, сидят на земле, а Сикстинская мадонна существует в облаках, она спускается, и она не есть суть, как «Мадонна Альба» или «Мадонна делла Седия», а она есть явление. Это образ, который возвращается к религиозно-христианскому пониманию образа Богоматери, а не к тому, которое существует в новой религии Ренессанса — Венера-Урания и Венера-Афродита. Здесь делается уже очень резкий крен в одну сторону, он возвращается к этому образу, его религиозной функции и трактует его через эти раскрытые занавески, через папу Сикста, через Варвару, потупившую очи долу — это есть образ расслоения. Варвара — это понятие земного, а она — понятие божественное. Божественному младенцу противопоставлен нижний ряд — ангелы и амуры. То есть здесь он действительно делает очень резкий бросок в сторону христианского начала, раскрывая его.

И вместе с тем, буквально через год Рафаэль делает работу, которая осталась незаконченной, потому что он умер, не написав ее. Это работа, мало публикуемая, к сожалению, почти не анализированная, это его последняя работа — росписи Виллы Фарнезина. Последние папы были из рода Фарнезе, и они начали восстанавливать знаменитую виллу, и Рафаэль начал там росписи. Посмотрите, какой контраст по сравнению с «Сикстинской мадонной»: это апофеоз, это апологетика чувственности, это какая-то аффектация чувственно материнского бытийного мира, бытийного образа жизни. И здесь дело даже не только в мчащемся на нас Меркурии с трубой в руках, в шапочке с крылышками. Какая сила, какая мощь в фигуре Меркурия! Он написан так, как будто это не Рафаэль пишет, а как бы Микеланджело мог написать такую фигуру, такая в нем сила скульптурной лепки. И такая интересная деталь: он как бы вырывается из пространства и летит на нас, надвигается на нас. Но дело не только в этом, а дело в том,

Доменико Венециано. Благовещение, 1442–1445
Музей Фицуильяма, Кембридж

Франческо
дель Косса
Благовещение
1479
Галерея старых
мастеров, Дрезден

Вилла Фарнезина, Рим

Рафаэль Санти. Меркурий приносит Психею на Олимп, 1515–1516
Вилла Фарнезина, Рим

Джорджоне. Гроза, ок. 1508
Галерея Академии, Венеция

Джорджоне. Сельский концерт, 1509. Лувр, Париж

Джорджоне
Три философа
ок. 1504
Музей истории
искусств, Вена

Джорджоне
Мадонна Кастельфранко
ок. 1504
Кастельфранко-Венето, Венеция

Пьеро делла Франческа
Портрет Федериго
да Монтефельтро
1465–1472
Галерея Уффици, Флоренция

Пьеро делла Франческа
Портрет Баттисты Сфорца
1465–1472
Галерея Уффици,
Флоренция

Тинторетто. Тайная вечеря. 1592–1594
Церковь Сан-Джорджо Маджоре, Венеция

Доменико Гирландайо
Тайная вечеря
ок. 1480
Церковь Оньисанти, Флоренция

Леонардо да Винчи
Тайная вечеря
1495–1498
Санта-Мария-делле-Грацие, Милан

Паоло Веронезе
Пир в доме Левия
1573
Галерея Академии, Венеция

Тициан
Портрет девушки
ок. 1545
Музей Каподимонте,
Неаполь

Тициан
Девушка с блюдом
1555–1558
Галерея живописи,
Берлин

Тициан
Венера перед зеркалом
1553–1554
Национальная галерея искусства, Вашингтон

Тициан
Потрет Лавинии
1560–1561
Частная коллекция

Тициан
Наказание Марсия
1570–1576
Музей искусств, Оломоуц

Тициан. Святой Себастиан, ок. 1575
Государственный Эрмитаж, Санкт-Петербург

Тициан
Карл V на коне
ок. 1548
Национальный музей
Прадо, Мадрид

Тициан. Карл V
ок. 1548
Частная коллекция

Тициан
Павел III
с племянниками
ок. 1546
Музей Каподимонте,
Неаполь

Тициан
Портрет молодого англичанина
ок. 1545
Палаццо Пити, Флоренция

Франсиско Гойя
Портрет Карла IV
1789
Музей Лазаро Галдиано,
Мадрид

Франсиско Гойя
Портрет Марии
Луизы Пармской
1788

в какой среде существует Меркурий. Посмотрите, какое переизобилие всяких физических знаков мира жизни. К центру этой виньетки, а точнее, среды, очень глубинно насыщенной значением, навешаны плоды, из которых высыпаются зерна. Лопается мак, из него высыпаются зерна. Тут буквально все цветы, все плоды, причем часть плодов изрезанных, как бы истекающих семенем. «Сикстинская мадонна» — это уход в очень высокую тему Богоматери, несущей миру младенца. А тут даже отброс не в античность, а в какую-то ренессансную жадную, ненасытную жизненную силу, которая была в людях того времени. Ведь в людях античности ее не было, они проецировали мир по-другому. Это разрыв гармонического мира, гармонической системы, она разбилась на две части. Он рухнул, перестал существовать. Поэтому, когда Борис Виппер пишет о том, что Высокое Возрождение кончается в 1520 году, то он просто дает дату смерти Рафаэля. Он, конечно, идеально ставит точку в этой хронологии самого ренессансного исторического пространства. В тот момент, когда мир Рафаэля лопнул, разорвался на две части, когда эти кони разнесли душу бессмертного на две совершенно разные системы, это его и разорвало. Это смерть изнутри, а не по каким-то вульгарным или бытовым причинам.

Есть художник, необычайно близкий Рафаэлю, который проецирует чистейшую гармонию высокого ренессансного неоплатонизма, называемого Лосевым антропоморфическим, потому что человек является центром этой системы, человек находится в идеальном гармоническом единстве с миром. Этот художник в истории искусства определяется как один из основоположников венецианской школы живописи. Это Джорджоне. Но рассмотрим его не как художника венецианской школы, а как художника, который на том же уровне, что и Рафаэль, проецирует эту чистейшую художественную неоплатонику античного высокого космоса.

Джорджоне — художник, умерший в один год с Рафаэлем. Работал он всего десять лет, с 1510 по 1520 год, так что в один год Италия потеряла не только двух гениальных людей, но она потеряла систему, транслирующуюся через этих двух людей. В отличие от очень ясно проговоренной идеи Рафаэля, живопись Джорджоне живет в гораздо более глубоком и сложном психологическом и содержательном контексте. Контекст Джорджоне несравненно более сложен и гораздо труднее поддается точной дешифровке, чем мир Рафаэля. Мир Рафаэля практически идентифицирован философским представлением о мире. Мир Джорджоне можно назвать миром необычайно поэтическим и насыщенным, поэтому он рождает ряд ассоциаций, вот эту точно проецируемую Рафаэлем идею. Спор относительно того, что является содержанием картин Джорджоне, продолжается до сих пор. Но спор этот представляется малосодержательным, потому что содержанием картины Джорджоне является эта самая гармония человека и мира, человека и природы. Это образ абсолютного слияния, абсолютной идентификации, чудеснейшего сплава, который есть абсолют. Однако у Джорджоне осуществляется это в другой форме, и поэтому речь может идти о том, как трактовать сюжет вещей Джорджоне, но не о том, что есть содержание его вещей.

Трактовка сюжета Джорджоне действительно сложна, потому что у него нет однозначного ответа на этот вопрос, он чрезвычайно глубоко и сложно поэтически ассоциативен. Но сначала остановимся на пространственном решении этой картины, потому что оно очень близко к пространственному решению сферических систем. На первый взгляд картина решена по композиции большого венецианского окна. Это мир, увиденный из окна, и по формату очень точно соответствует окну. Но построена эта композиция Рафаэля так, что две фигуры, Ева и женская фигура с младенцем на руках, отнесены по обе стороны композиции — вправо и влево. Первые акценты внимания на фигуре женщины, кормящей грудью младенца, сидящей на каком-то странном, очень сложном по очертаниям косогоре. Потом мы переходим к дереву, от этого дерева идем к архитектурной пейзажной конструкции, которая задерживает наше внимание, потому что небо прорезает очень сильная молния. Репродукция цветная тает в центре этой сферической загибающейся, она отбрасывает туда наш взгляд, это очень сильный акцент. Потом она как бы загибается влево и останавливается на мужской фигуре. Она как бы описывает сферическое пространство.

Интересно, что у Джорджоне в этой картине, которая называется «Гроза», даются все четыре стихии. Здесь все: вода, земля, небо — да еще грозовое небо, и огонь — молния. Уже эти четыре стихии дают понятие о космическом объеме этих вещей. Кроме того, здесь дается еще больший объем — объем мира и человека, мужской и женской фигуры, Адама и Евы. Здесь дается объем слияния этих фигур с природой. И здесь все дается в сферическом состоянии объединения. Многие называют эту вещь «Цыганской мадонной»: над фигурами нет нимбов, здесь изображены цветы, а по многим атрибуциям здесь изображена цыганка. По некоторым другим трактовкам, эта вещь связана с одной из поэтических новелл Петрарки. Считают, что это живописная аналогия одной из поэтических новелл Петрарки, которая рассказывает о победе над драконом, превратившимся в холм. И многие искусствоведы усматривают в очертании этого холма, на котором сидит цыганская мадонна, окаменевшего дракона. А существуют и другие версии. Существуют мистические версии, а также версии, осуществленные в чистом виде платоновского космоса. Но здесь не в этом дело. Ведь это дается еще под знаком очень глубокого ассоциативного восприятия, это та новая ступень художественного сознания, поэтическая ассоциация того же самого неоплатоновского космоса, которая ни флорентийской, ни римской системы не имела, она уже принадлежит новой школе — венецианской. Но в этой части он очень близок венецианской системе.

Картина эта обладает еще одной очень интересной особенностью. Она дает содержание человека в живописи как, с одной стороны, очень глубокую эмоциональную систему, а с другой стороны, как систему, абсолютно саму на себе замкнутую. Человек может рассматриваться как совершенно самовыражающий себя до конца, своеобразная духовно-психологическая замкнутость. Когда связи между людьми устанавливаются не через причины следственного действия, то есть они взаимодействуют обязательно, как это было во Флоренции или в Риме, а когда между ними существует несказанная связь, осуществляющаяся через объем мира. Некая связь, ведомая им, а нами только предугадываемая, нами только предполагаемая. Главное, сокровенное спрятано во внутреннем объеме каждого человека. Все-таки венецианцы создают психологические портреты, новые поэтические формы художественного сознания в Ренессансе. Поэтому мы говорим о том, что Джорджоне, с одной стороны, осуществляет широту восприятия мира рафаэлевского, а с другой стороны, его картины, конечно, значительней, более эмоциональны в психологическом плане, богаче.

«Концерт» это полностью подтверждает, потому что концертом это называется вовсе не потому, что здесь сидят женщины и музицирующие мужчины. Концерт — потому что это единое, общесогласованное гармоническое звучание целостного начала. Концерт — потому что это прекрасно настроенный целостный инструмент мира. У него нет в женских фигурах никакой персонификации. Любая персонификация была чужда Джорджоне, она была вульгарна для него. Здесь образы женщин подходят к идеальному образу ренессансной богини, к образу первоприроды, гармонически целостному образу Земли и Неба, богини Земли, богини Неба. Поэтому они напоминают собой какие-то прекрасные статуи, даже просто по пропорциям, по форме своего тела, по движениям, по абсолютному отсутствию чувственного начала, заземленной контактности. Ничего здесь нет, они существуют сами по себе, как абсолютно идеальная система, замкнутая внутри себя. А с другой стороны, они и есть инструменты этого общего концерта мира.

Но, пожалуй, на этих двух именах пока концептуализм заканчивается, хотя у Джорджоне очень много художественных предметов.

Ломка сферического ренессансного пространства, конечно, происходит в Венеции, и тот художник, который ее показывает, который ее осуществляет, это Тинторетто. У Тинторетто пространство выходит за пределы самого себя. У него пространство уже не существует как пространство или линеарное, или кулисное. У него пространство существует как пространство, определяющееся другими показателями. Вы не можете здесь найти понятие «кулис», «стен», «пределов земного уровня», «потолка». Вы не можете здесь найти начала и конца. Это безначально и бесконечно. Это область уже чистейшей метаморфозы, это метаморфоза через свет. Павел Флоренский в своей работе показывает эволюцию данного пространства от линеарной к сферической и световой форме. Он показывает, что световая система есть система метаморфозы мира, его превращения, возвышения его конструктивных основ, система переходов, выхода за пределы материально-реальные, как бы физически не осязаемая система. И это мир метаморфозы, организуемой светом, это мир, который нам показывает Тинторетто. Обратите внимание, какое количество света у него, и как эти источники света по-разному действуют и все вместе организуют вот этот пространственный образ физической метаморфозы, когда вы от физического плана переходите в чисто метафизический по световой диагонали. Вы от нижнего, более физического плана переходите к более глубокому, метафизическому. И это организуется только световым построением пространства.

Интересно, что Тинторетто обращается к теме, хорошо нам известной. Это «Тайная вечеря». Но если вы возьмете эту тему у Гирландайо, там Иуда взят оппонентом с собеседующим. У Леонардо да Винчи он сказал роковые слова, а здесь этого нет, здесь тайная вечеря принимает другой характер. Тот характер, который в ней и был, во второй части тайной вечери, когда учитель прекращает дискуссии и приступает к главному действу, когда он начинает таинство причастия. Он переходит к евхаристии, он ломает хлеб, и начинается мистериальная часть тайной вечери. Происходит метаморфоза, то есть приобщение их к некому таинству, для которого в их сознании основания нет. И Тинторетто показывает именно этот момент причащения, он показывает мистерию, он показывает превращение, приобщение к себе от плоти и крови, они уже приобщаются к другому состоянию, их сознание приобщается к этому состоянию. Вся художественная система Тинторетто осуществляет образ этой метаморфозы, образ этой происходящей мистерии и образ этого чуда.

Здесь вся система едина, начиная от того момента, когда Тинторетто выбирает этот момент. Ведь его из художников эпохи Возрождения не выбирал никто, его вообще мало кто из художников брал, и осуществляли его уже совершенно новым художественным языком.

Вернемся к проблеме источников света. Здесь источники света действуют помимо законов оптики, они действуют по законам световых сред, локальных. Одним из источников света является эта диагональ, когда идет переход от физического плана, от Варфоломея, сына вспаханной земли, туда, на дальний конец стола. И каждый из апостолов, приобщаясь к высшему плану, теряет свое персонально-материальное значение. Они уже на наших глазах превращаются, свет идет из них. И этот свет, идущий из них, настолько силен, что он ликвидирует действие, происходящее между ними, и движется к своему центру, когда уже Христос превращается в фигуру, несущую свет. Он является носителем этого света.

Вот эта часть перехода очень интересная. Здесь все фигуры физического плана — люди, присутствующие в доме на тайной вечере. Посмотрите на этот верхний план. Он написан, с одной стороны, как облако, как фигуры, которые превращаются в какое-то цветоносное, живое, меняющее свое очертание облако. А с другой стороны, это облако приобретает очертания фигур. Оно все такое совершенно нематериальное, тающее, теряющее значение материи, оно как бы теряет какие-то свои материальные признаки.

Лампа, которая подвешена неизвестно где, к чему и как, формирует действительно чисто божественное пространство, в котором освещается самостоятельный объем, и он дает общее световое наполнение композиции. Ни о каких жестких пространственных структурах, о жестко развивающемся действии здесь говорить не приходится. Это система выходит к образу трансформирующегося, превращающегося, переходящего из материального в метафизическое состояние мира. Свет в данном случае является не просто языком изобразительного искусства, но является языком художественного сознания, языком выхода из сфер земных, из первого уровня и даже из второго уровня к этому уровню чистейшей метаморфозы света.

Это одна линия развития распавшейся ренессансной идеальной гармонии. Пространство становится самодовлеющим, эта пространственная распадающаяся форма организует новый уровень мира и новый образ мира. Пространство начинает доминировать над всем, становится основным содержанием произведения.

Посмотрим на картину Тинторетто «Битва архангела Михаила с сатаной». Кто такой Тинторетто? Он является носителем определенных идей. Нас он интересует с точки зрения явления нового художественного этапа, когда действие уже переносится в совершенно иную сферу, в иную систему. Там, где, стоя тонкой ногой на том же тонком полумесяце, в образе абсолютном, в образе Луны и Богоматери, в чистом свете, в каком-то мистическом световом мерцании является к нам Богоматерь с младенцем, где архангел Михаил ведет великий бой с Сатаной, низвергая его в бездны, где архангел Михаил летит, нигде ничего не закреплено, потому что все нематериально, все мистериально, и мир терзает свою физическую основу — земное притяжение.

Длинная рапира или пика, такая диагональ, на которую как бы опирается архангел Михаил, создает впечатление, что он будет совершать круговое движение вокруг тоненькой диагонали, где светлые ангельские силы сверху, а Сатана дается как земной клубок, темное клубящееся змеевидное облако, тоже совершающее метаморфозу. Противопоставление света и тьмы, когда идет борьба этих уровней света и тьмы, и где свет абсолютно подавляет тьму, низвергает в нижний угол картины. Вот эта вся ренессансная кривая перед нами. От чисто кулисного построения пространства у художников — строителей нового космоса, через новое представление о мире, через абсолютизацию неоплатонических идей в высоком Возрождении и через третью фазу его — света как основного организующего начала, формирующего ткань уже на совершенно другом уровне, на уровне свето-тьмы, а не на уровне ткани живого жизненно-психологического действия.

Существует шутка о том, что Ренессанс имеет год рождения, и Ренессанс имеет год смерти. Закончился Ренессанс тогда, когда папа Павел III легализовал в Италии Орден Иезуитов, когда он получил свои права на существование в Италии, и когда папа Павел III ввел инквизицию. Это XVI век. Ренессанс разорвался и, с одной стороны, предельно заземлился, а с другой стороны, предельно оторвался. Это предельное заземление выражает себя в появлении бытового жанра. А этот отрыв связан с появлением искусства Тинторетто и Веронезе, с появлением пространственных систем и введением в искусство не только новых пространственных масштабов и пространственных систем, но света как языка, который дает новые возможности передачи мира и нового объема мира. Тем не менее, появление света есть самое большое завоевание в станковой живописи в конце XVI века, и без появления такого еще одного компонента в станковой живописи, как свет, представление о XVI веке вообще немыслимо, как и представление о живописи европейской.

В завершение этой темы посмотрим на фрагмент живописи Веронезе. На первый взгляд, Тинторетто и Веронезе являют собой две полярные точки этой системы. Это уход в образ мистической борьбы света и тьмы и победы света над тьмой, такую поэтико-метафизическую мечту Тинторетто, и вместе с тем крайне заземленный мир Веронезе. Когда уже и «Тайная вечеря» (которая есть у него), и «Пир в доме Левия», и другие картины превращаются в образ мира, где все обретает материальную силу. В искусство входит костюм, еда, в искусство входит живописная плоть, сила земного бытия, все обращается в земное пиршественное действо. Какое большое количество фигур в картинах Веронезе! Его даже, пожалуй, можно назвать первым урбанистическим художником, потому что такое впечатление, что действие его происходит на городских площадях, где собрано большое количество народа. С другой стороны, это кажущееся различие, когда Веронезе весь состоит из плотных материальных живописных сгустков, очень сильного материального неба — сине-зеленого, красноватого, мощных архитектурных форм, лестниц, огромного количества людей. Они чрезвычайно напоминают театральную декорацию, в них есть что-то декоративное. Чрезмерная, избыточная декоративность Веронезе — это обратная сторона мистериальности Тинторетто, потому что она тоже мистериальна, только она мистериальна на другом языке. Она мистериальна через другой художественный канал.

Теперь эту линию эволюции, которую мы проследили в живописи пространственных систем эпохи Возрождения, рассмотрим на примере эволюции портретной живописи эпохи Возрождения. Вы увидите, что никакого разрыва между тем, что мы брали в объеме пространства, и тем, что мы будем брать в изображении человеческой фигуры, нет. Но почему тогда мы разделяем эти вещи? Потому что в архитектуре ансамбль является всегда прекрасным и очень точным зеркалом миромышления, или мироощущения, или миропонимания.

Для того чтобы что-то знать о времени, надо прочитать архитектурный ансамбль того времени. Он всегда дает очень точное зеркальное клише представлений людей о мире и о себе. Архитектура в этом смысле есть самое точное зеркало во всей плеяде искусств. А живопись эпохи Возрождения — это открытие нового хронотопа, новой пространственной среды. В искусстве Возрождения пространство можно воспринимать отдельно, потому что пространство существует там в архитектоническом понимании этого слова. Живописное пространство существует в том же самом смысле, в каком существует архитектура, оно есть всегда модель мира. Поэтому, когда прослеживаешь эти архитектурные и живописные формы, открывается эволюция ренессансного сознания, эволюция ренессансной художественной психологии. Но есть еще одна тема — это тема человека, это его ренессансный антропоморфизм, где мы можем проследить то же самое.

Прежде всего, взглянем на парный портрет герцогов да Монтефельтро, который написал Пьеро делла Франческа. Это диптих, парный семейный портрет. Художник служил при дворе герцога да Монтефельтро, герцога Урбинского, и здесь изображен сам Федериго да Монтефельтро и жена его Баттиста Сфорца.

Надо сказать, что сейчас они существуют вот в таких рамах, а когда-то это был диптих, то есть две створки, которые открываются. На двух верхних створках были портреты герцогов да Монтефельтро на фоне Умбрии. А потом, когда они открывались, появлялся триумф герцога да Монтефельтро, который ехал в великолепной карете, запряженной парой белых лошадей.

Чему это соответствует в нашей системе? Это соответствует нашей модели кватроченто. Мы говорили о художественном монтаже фигуры и природы. Вот эта точка сверху, с которой взята природа, и точка снизу или на уровне глаз, с которой взяты фигуры. Это не включение фигур в пространство, это наложение фигуры на пространство или присоединение фигуры к пространству. Здесь включенности нет, здесь они отделены. Пространство построено по тому же самому принципу — линеарному или кулисному построению. Есть фигуры, и потом в оптически совершенно иной точке дано пространство. И та же тема времени, которая входит здесь с понятием воды, горизонта, этой проблемы «нон-финито» — незаконченности. Мир дан как бы целиком, а вместе с тем как бы фрагментарно, это фрагменты очень большого мира, который инкрустирован двумя подобными площадями. Сам по себе пейзаж тоже можно рассматривать изолированно и самостоятельно. Вот эта вода, незаконченность, эти горы, уходящие вдаль, тема огромного объема мира — незавершенного, предполагаемого, уходящего за края.

А с ним монтируется необычайная завершенность, законченность силуэта. Очень интересный портрет герцога да Монтефельтро. Здесь видны истоки портретного искусства эпохи Возрождения. Это такие барельефные римские медали, римский портрет, барельеф. Ренессансный портрет кватроченто — это портрет профильный и погрудный, это не портрет в три четверти или анфас, это всегда портрет профильный и погрудный. Он дается как барельефная медаль или какая-то инкрустация в пространственной системе. Главное, что заботит художника, — это завершенность и законченность силуэтной системы и предельная неповторимая выразительность внешне данного лица.

Образ герцога да Монтефельтро предельно выразителен и построен по закону завершенных ритмов. Этот ритм можно проследить от его спины, через шапочку завитых волос, войлочную красную шапку на его голове, невысокий козырек на шапке, провал перебитого носа, сам нос, подбородок и абсолютно замкнутую линию впереди. Герцог да Монтефельтро похож на какую-то хищную птицу не только потому, что у него перебит нос, но еще потому, что у него узкий щелевидный рот и сильно выступающий подбородок. У него глаз в каком-то кожаном мешке, как у орла, очень страшный глаз, и верхнее веко равно нижнему веку. Глаз как будто бы и мигающий, и немигающий, закрывающийся и открывающийся в кожаном мешке. Что очень интересно, это уже наша оценка, для Пьеро делла Франческа этот портрет был изображением человеческого достоинства и человеческих сил.

Художники кватроченто не стремились понять внутреннюю сущность человека, она их не интересовала. Они дают потрет как проекцию внешней характерности, неповторимости, и при этом абсолютной внутренней замкнутости. Это портрет достоинства человеческого, человеческой силы, это портрет физических или каких-то социальных возможностей человека. Герцог да Монтефельтро — личность эпохи Возрождения, но без дешифровки, без раскрытия этого понятия. Он является нам в своей завершенности, в своей законченности, замкнутости переднего плана, это душа, застегнутая на все пуговицы, как жилет. Внутреннего пространства художник перед нами не раскрывает, оно его не интересует, оно ему чуждо. Это не вторжение в глубину, это абсолютное отсутствие всякой рефлексии сознания: я есть герцог да Монтефельтро, повелитель Урбино, мне принадлежат эти земли, у меня есть сила, а ежели со мной что-нибудь случилось, так виноват во всем я сам — значит, я не был достаточно хитер, достаточно изворотлив; а что касается того, что во внутренней полости меня самого, то это несущественно для художника вообще и несущественно для характеристики людей этого времени. Это несущественно даже для определения людей друг с другом: они берут друг друга только через чисто экстравертные признаки, через взаимодействие словом, силой, положением, внешней игрой, то есть через факторы внешнего взаимодействия. Отсутствие рефлексии — очень страшная вещь. Она в сознании в это время действительно отсутствует как момент художественного или психологического познания. Художник изображает себя в виде Иуды. Разве можно предположить наличие какой бы то ни было рефлексии, если человек изображает себя в виде Иуды? Именно эта система взаимосвязей, взаимоотношений рождает вот такой портрет — портрет утверждения личности, подчеркивания ее индивидуализации. И вместе с тем сама композиция такого погрудного портрета в профиль дает ощущение медали, как бы вечности. А уже портрет Рафаэля — это значительно более сложная система, это можно назвать новым этапом в развитии портрета. Какой бы портрет, какого бы художника мы ни взяли — все они будут повторять и проецировать одну и ту же идею, одну и ту же мысль человека.

Что касается Рафаэля, то дело здесь уже не в нем самом, а в некоем уровне понимания человека и понимания взаимоотношения людей, а главное — миссии человека. Все портреты Рафаэля, с точки зрения психологической, очень интересны, и они уже лишены того однозначного плоского подхода к изображению человека, который мы видим в портрете периода кватроченто.

Портрет Рафаэля дает идеальную модель человеческой личности на материале, казалось бы, непригодном, на материале папы Юлия II. Если проследить эволюцию папского портрета вплоть до Веласкеса, обнаружится очень интересная линия психологической эволюции. Портрет — это изображение человека по образу и подобию. И в портрете Рафаэля есть не только подобие, но есть и образ. Подобие для художников эпохи Возрождения есть первый главнейший признак, потому что человек, изображенный на портрете, должен быть подобием. А вопрос образа — это уже вопрос, который с течением времени менялся.

Папа Юлий II был одним из самых замечательных героев ренессансной истории. Это был очень сильный политический деятель, который после падения Флоренции, после того, как Флоренция не состоялась как центр объединения Италии, вздумал сделать центром этого политического объединения Ватикан и поэтому вел очень сильную международную политику. Он был настоящим полководцем и воином, и когда у него спрашивали, как он хочет, чтобы его написали, он отвечал всегда одинаково: «На коне и с мечом в руке». Вот таковы были его пожелания. На коне и с мечом в руке — это очень много означает, это означает то, что он полководец, и то, что он завоеватель. Но означает это также и то, что он — церковь воинствующая.

А вот Рафаэль показывает его не на коне и с мечом в руке, а как раз совершенно наоборот. Он показывает папу не таким, каким он был, а таким, каким он должен был бы быть, каким ему следует быть. Он перед ним ставит, как зеркало, пример того, каким должен быть папа — мудрым пастырем. Не стариком, но старцем, сильным старцем, физически сильным и умудренным опытом, не поддающимся влиянию собственных страстей, которым был подвержен Юлий II, человек неуправляемый, нервный, сангвинический, очень многое делавший спонтанно. Нет, он показывает нам мудрого пастыря, стоящего над страстями. Образ убеленного сединами мудрого наставника над людьми. Он являет нам некий идеал его образа: спокойный папа в кресле, платок в левой руке, вместе с тем — напряженная правая рука, схватившая ручку кресла, выдающая большое внутреннее напряжение, хотя внешне он спокоен, он думает. Папа Юлий II при всей своей любви к Рафаэлю этим портретом доволен не был, и этот портрет особо не принял. И все-таки... И все-таки Юлий II остается в художественной истории на этом портрете — такой, каким он должен быть.

Рафаэль никогда не создавал психологии личности, поведение человека также его не интересовало. Для него было важно осуществление человека в его высшей суперфункции, здесь через него проходит главная идея Возрождения. Но еще больший интерес представляет собой портрет жены Рафаэля — Форнарины. Это один из самых красивых и одухотворенных портретов эпохи Возрождения. Форнарина была очень красивой женщиной, знаменитой ватиканской танцовщицей, очень экстравагантной, законодательницей моды. И Рафаэль пишет ее в необычайно откровенном и очень ярком туалете. На ней белая камиза — нижняя рубашка, завязанная ярко-красными с золотыми концами подвесками, и очень активного золотого цвета парчовое платье, пышное, с низко вырезанным корсетом, очень большими рукавами — как раз самая последняя мода того времени, вводимая в Риме. На шее у нее оправленное в золото сердоликовое ожерелье, придающее женщинам большую женскую силу, физическую силу. Очень нежная шея, красивое нежное лицо. Она была пышной женщиной, но дело все в том, что есть некая деталь, которая все, что здесь описано, снимает, как бы нейтрализует. Это покрывало, накинутое на голову и на плечи Форнарины. Это волосы, забранные сзади в пучок. И даже жемчужная подвеска, которая выглядывает из-за покрывала, только приковывает наше внимание к этим закрытым волосам, покрытым покрывалом. Необычайно ясная чистота лба. Эти элементы снимают всю ту пышную, откровенную, чувственную систему выражения женского начала в ней, которое, вероятно, было сильно. Но Рафаэль закрывает ее этим покрывалом, очень тонко композиционно организуя его. Будто бы ничего не скрывая, но, вместе с тем, закрывая все. Чувственное начало снимается, оно преображается, ликвидируется, и Форнарина становится тем, чем и должно быть женское воплощение в представлении эпохи Возрождения. Она в равной мере есть образ небесной чистоты и земной силы. То есть сама по себе Форнарина есть идеальный пример, идеальный образ совершенства. Нести — главная миссия женщины по понятиям эпохи Возрождения.

Теперь следует остановиться на портретах Тициана — на третьем этапе в развитии портретного искусства эпохи Возрождения. Потому что Тициан, обобщая опыт социальной индивидуальной психологии, создает первый психологический портрет в европейской живописи. Отличительной чертой тициановских портретов является то, что у него портрет всегда очень точно вписан в определенную композицию. Это система окон и дверей. Все портреты Тициана очень точно по масштабу выверены: портрет окон и портрет дверей.

Портрет окна — это когда он дает погрудную композицию. Например, Лавиния — Портрет дверей — это портрет Филиппа II или очень знаменитый портрет папы Павла III с племянниками.

Портреты кватроченто разомкнуты, они в такой же мере могут являться пространством мира, как

Лавиния. Портрет работы Тициана

и образом человека в этом пространстве мира. Взаимосвязь пространства и человека дает очень полную систему. Постепенно пространство в портрете сжимается, оно не развивается, портрет не обрастает деталями, интерьером, пространственными системами, пространство сжимается вокруг человека. Человек становится единственным исключительным предметом изображения и центром этого изображения. Портреты эпохи Возрождения, уже с начала XVI века, постепенно убираются: они убираются вместе с профильным портретом, вместе с погрудным портретом, они сжимаются очень плотно вокруг человека, и человек становится единственным объектом изображения.

У Тициана в портрете показаны все системы: система сжатого пространства вокруг человека и человек, существующий в пространстве, но всегда находящийся с ним уже в очень контактных и сложных взаимосвязях. Связь человека с пространством в кватроченто — это связь неконтактная, это связь формальная. Тициан объединяет обе системы: систему пространства и систему человека. Он создает очень сложный психологический контакт между пространственным образом мира и индивидуальной психологией человека.

Сначала остановимся на женских портретах Тициана, потому что между женскими и мужскими портретами Тициана очень большая разница. Это искусственное разделение необходимо для понимания задач и портретной живописи Тициана.

Вот два портрета его любимой дочери, которую он постоянно писал. У него вообще очень много женских портретов, и он очень любил писать свою дочь, с того момента, когда она была еще молоденькой девочкой, и до того момента, когда она превратилась в пожилую даму. То есть это биография Лавинии в портретах Тициана. Между прочим, очень интересно проследить изменение внешнего облика. И очень любопытно, что отсутствие внутреннего, духовного начала в ней сказывается в метаморфозе физической, портретной. В галерее прослеживается, когда она начинает стареть, тускнеть, когда ее физическое изобилие выражает себя через глубокую художественную тусклость, бездуховность, духовную пустоту, отсутствие какого-то жизненного импульса. Это просто красиво написанный портрет когда-то красивой, полной, самодовольной, очень тупой, сонной женщины. Это отсутствие духовного наполнителя является предательским обличением. Тициан, безумно любя свою дочь из всех женщин, сам является ее обличителем.

Вот портрет молодой Лавинии, он называется «Лавиния с блюдом». Женщина для Тициана есть образ любви земной и любви небесной в одном лице. Лавиния — это образ земного начала, очень сильно выраженного. Она несет в руках блюдо, на котором лежат цветы и очень красивые плоды. Это ее метафора. Лавиния одета в золотое платье, у нее золотые волосы, золотой венец на голове, золотое блюдо в руках. Но это особое золото, это не золото бессмертия, это не золото божественное, а это венецианское золото, золото венецианского великолепия, роскоши, она есть предмет драгоценный — вот кто такая Лавиния. Она есть художественная самоценность в этом мире. Просто факт ее пребывания в этом мире, такой, какая она есть, это факт драгоценный. Тициан пишет ее в золоте, и это золото есть образ ее абсолютной ценности. Для него женщина является образом красоты, абсолютной красоты, красоты как самостоятельной ценности. Это образ чувственного наслаждения просто от самого созерцания красоты. Она для него настолько в этом качестве абсолютна, что через это качество он ее обожествляет, поднимает ее на уровень такого абсолюта, как Венера. Эта картина, «Венера перед зеркалом», или «Венера в шубке», когда-то принадлежала Эрмитажу, но сейчас от нее осталась одна рама, а картина находится в коллекции музея Метрополитен, она принадлежит коллекции америкaнсого мультимиллионера Меллона. В 1927 году было продано большое количество работ из Эрмитажа, в том числе и портрет папы Иннокентия III Веласкеса, и «Чудо святого Георгия» Рафаэля, и «Поклонение волхвов» Боттичелли, так что там подходящая коллекция.

С точки зрения живописи «Венера перед зеркалом» — это одно из чудес Тициана. Надо сказать несколько слов о женском образе Тициана. Интересно, что этот образ, именно женский образ, в понимании того времени прекрасно передан Шекспиром в его трагедии «Отелло». Есть образ Дездемоны, но она сама не знает, кто она, и Отелло не знает, кто она. Он совершенно не понимает, не знает человека, с которым живет, который существует рядом с ним, потому что узнавание его в его функции не входит. Она есть: а) его жена; б) венецианка; в) драгоценность мира — самое главное. Он не входит в ситуацию ее внутреннего пространства, оно его не интересует, он не знает этого человека, поэтому он психологией этого человека манипулировать не может, она для него закрыта. А так как Отелло был венецианцем, то сознание это ему было в высшей степени присуще, и Шекспир отлично понимал, к чему сводится сумма этого представления о женщине. И вот это представление Отелло о Дездемоне Тициан и транслирует. Тогда понятие о том, что «женщина тоже человек», в объем этого представления не входило, и нет ни одного документа, который убеждал бы нас в обратном. Все документы убеждают нас именно в этом, включая итальянские хроники Стендаля, когда он пишет о полном непонимании того, что женщина тоже обладает какой-то индивидуальной психологией, какими-то точками зрения. Отсюда, вероятно, уродство, убийство, самоубийство и бог знает что. Но у Тициана речи об убийстве или самоубийстве, естественно, быть не может. Просто в силу того, что женщина поставлена социально в положение, когда ее внутренний мир не обследуется, она представляет собой именно то, что являет собой золотая Лавиния. Золотая Лавиния есть Дездемона, поэтому она есть очень хорошая арена для действия Яго, который может ей манипулировать как угодно — она кукла. Она есть ценность, возведенная в ранг божественный, образ этой божественности и есть ренессансный образ, Мадонна. Так же пишет свою женщину Тициан. Его Лавиния — это образ, совершенно как бы выключенный, лишенный объема духовности, объема психологического сознания, но зато чрезвычайно одаренный талантом физической красоты, физического совершенства. Тициан пишет это физическое явление, физическое совершенство, отдавая весь свой дар и талант и даже наполняя ее некой духовностью, которая есть духовность ее тела, а не души.

Женские тела Тициана обладают особым качеством — они несут свет. Если вам доводилось видеть в Эрмитаже «Данаю», то вы могли заметить: создается впечатление, что холст сзади подсвечен лампочкой, что это тело излучает свет. И вот эти тела, женские руки являются источником света сами по себе, они излучают свет. Что такое грунтовка холста? Художники делают грунт чуть сероватым, асфальтовым, но в основном это грунт одноцветный. Если представить себе грунт ненаписанной картины Тициана, вы увидите картину Кандинского. Потому что у него идет сразу грунтовка холста пигментом, ему никто, никакие подмастерья холсты не грунтовали, грунтовал он сам. У него картина была написана до того, как она была написана фактически. Он композицию картины знал заранее, по известному принципу: писать ради последней строчки, которая приходит первой. Поэтому у него уже грунтованный холст есть завершенная живописная композиция, сама по себе являющаяся содержательной. И вот это новое явление в живописи, потому что Рафаэль писал живописью как темперой. У него если есть слабость в чем-то, то это слабость в самой живописи. Он пользуется техникой масляной живописи как темперой, то есть он кладет густой и по цвету однородный слой, не фиксирующий свет и дающий устойчивый живописный рельеф. Он архитектурно мыслящий художник, в нем нет той эмоциональности, психологии творчества, которую мы в нем предполагаем, в нем есть эмоциональность нашего восприятия, но не эмоциональность творческой психологии. А у Тициана начинается эмоциональность самой творческой психологии, у него холст, грунтованная поверхность уже несет в себе наполненность эмоциональными флюидами цвета в чистом виде. Так вот, женский план он грунтовал определенным цветом, и это цвет очень жидко прокрашивался несколько раз. Очень жидко он писал, если вы подойдете к «Данае», вы увидите эти крупнозернистые венецианские холсты. У него холст виден, потому что очень жидко написано. Причем он первый в европейской живописи не пользуется тенью как тьмой, у него тень рефлексная, цветная. У него рефлексные тени, через жидко положенный верхний слой просвечивает розовато-кирпичный грунт. Он не только его оставляет в тенях, когда он создает это впечатление освещения, просвечивание нижнего слоя через верхний, но он еще прокладку дает голубовато-красноватую, что усиливает свечение и создает впечатление необычайной легкости.

То есть мы можем сказать о том, что здесь не образ одухотворен, а живопись сама одухотворена. Есть тема одухотворенности человеческой личности, а здесь тема одухотворенности живописи. Это вещи, которые надо различать. Живопись сама по себе есть божественная одухотворенность, а образ человека и личность человека несет в себе состояние художественной самоценности как произведение искусства. Интересно, что Тициан непосредственно вводит в композицию зеркало. Введение в композицию зеркала как предмета — целый сюжет в истории искусства. Потом над введением в композицию зеркала будут строиться очень сложные переосмысления художником того, что происходит в композиции, введение зеркала в композицию будет рассматриваться как лирическое отступление в литературе. Или как позиция автора, данная с другой стороны, потому что зеркало дает определенные акценты внутри, второй авторский акцент. Здесь же введение зеркала Тицианом в композицию дает только одно — дублирование. Здесь зеркало ничего не делает кроме того, что она дублирует. То есть женщина смотрится в зеркало, мы смотрим на нее, мы следим за ее отражением, мелькающим в зеркале, и вновь возвращаемся взглядом к ней. Необходимо разработать ее божественность через амуров, которые держат перед ней зеркало, необходимо показать фигуру, закутанную в русские соболя, шитые золотом, для того чтобы тело ее выглядело как внутренность какой-то раковины, окруженной великолепной рамой. Кроме того, тут есть разница фактур, этого меха. Тем не менее, Тициану очень хочется предельно акцентировать внимание на ней. И это делается не только свечением тела через живопись, но еще раз — отражением ее собственного образа в зеркале и возвращением к ней самой. Это предельная фокусировка на одном и том же. В этом и есть суть.

Что касается мужских образов, то в отношении мужчин дело в эпоху Возрождения обстоит по-другому, и здесь очень заметна и существенна эволюция. Все женщины из эмансипированных революционерок первого десятилетия XV века превращаются в художественную самоценность, самодовлеющую в пространстве. Что касается мужчин, то с ними дело обстоит более сложно. И если первые мужские портреты — это понятие силы, достоинства, действия, взаимодействия, активности, то именно Тициан удивительно глубоко разрабатывает почти всю систему мужского характера эпохи Возрождения, мужской личности и психологии личности.

Рассмотрим историю одной семьи. Это портреты Карла V и его сына Филиппа II, портреты Габсбургов, которые оставил нам Тициан. И Карла V, и Филиппа II он писал неоднократно, потому что он был любимым художником и того, и другого. Начнем с младшего Габсбурга — Филиппа II.

Тициан был подлинным поэтом, Тициан был подлинным художником. Он мог быть великолепным собеседником, великолепным собутыльником, настоящим венецианским парнем, человеком многосемейным, широким, с пирами которого мог сравниться только один его закадычный друг — Аретино. Но когда он брал в руки кисть, в этот момент он становился только Тицианом, которого Венеция хоронила в цинковом гробу. Он единственный человек, умерший от холеры и похороненный в цинковом гробу, потому что вообще холерных больных сжигали. И это был единственный случай, для которого было сделано исключение. Он прожил долго, жизнь была продлена ему, и он все более и более глубоко концентрировал в себе великие творческие прозрения. Когда он брал в руки кисть, он становился другим человеком. Он становился ясновидцем, провидцем, он видел то, чего не видел никто. Он был пророком людей. Он знал их судьбы наперед, и он писал только одно: он писал свое видение данного человека. И кто перед ним стоит или сидит, ему в этот момент становилось безразлично.

Обратим внимание на поразительный портрет Филиппа II. Ведь перед Тицианом стоит не просто неврастеник, а Филипп II, но он не может не проговаривать все до конца, он пишет не человека данного, он пишет личность во всем ее объеме. И в социальном ее объеме, и в психологическом. Он пишет ее во всем объеме комплекса неполноценности, он пишет будущее человека, он пишет весь тот объем, который может взять. И только он один мог взять этот большой объем. Портрет Филиппа II написан в рост. Это один из его портретов, но почти все его портреты транслируют одну и ту же персону. И эта персона транслируется Тицианом до такой степени точно, что писателям можно пользоваться этими портретами для того, что изображать Филиппа II. Можно очень хорошо представить себе мир под властью этого человека. Тициан пишет его в латах, специально сделанных для него, когда он был как бы официально назван престолонаследником. Тогда в Толедо для него были сделаны латы по старинным рыцарским образцам, и в честь этого события в этом вооружении рыцаря и воина, будущего императора, Филипп II и был запечатлен Тицианом. На нем великолепные латы с золотыми накладками, рядом на столе лежат рыцарские перчатки и еще шлем с цветным ярко-красным плюмажем, который Филипп держит в руках.

Филипп стоит рядом со столом. Тициан ставит зеркало перед Венерой, чтобы она в нем отразилась, чтобы еще раз дублировалась ее красота, и чтобы мы от зеркала снова вернулись к ней. Для того, чтобы предельно акцентировать на ней внимание. Филипп написан в открытой створке одной двери, то есть он берет только тот реалистический объем пространства, который может взять глаз художника. Он пишет человека, стоящего в рост на уровне одной открытой створки двери, и то, что входит в этот объем пространства. Филипп стоит, одной рукой держа шпагу, а второй рукой беря шлем, для того чтобы облачиться в него, надеть его на голову. Очень интересно, что эта рука нас ведет к шлему, мы видим снова это прекрасное вооружение, оружие войны, даже оружие какого-то необыкновенного воина, чуть не Александра Македонского, и потом снова от этого возвращаемся к Филиппу. А облачен в эти прекрасные царственные доспехи очень слабый человек, тщедушный, с вялой грудью, на слабых и вялых ногах, он как бы и стоит неустойчиво, вовсе не потому, что у него одна коленка подогнута, а потому, что его окружает блеск этого вооружения. У него очень слабые, недоразвитые ноги. И если представить себе тело под этими латами, то оно кажется еще более тщедушным и хлипким, и неуверенность какая-то есть во всей его позе. Нет в нем внутреннего наполнения, и даже жест, которым он касается шлема, очень неуверенный. И этим, конечно, великолепен сам портрет.

Тициан пишет уже психически больного человека. Здесь просто поставить диагноз, потому что он пишет диагноз. Здесь вся история болезни, которая в нем уже гнездится, которая уже через него проходит, которая для него, для Тициана, уже очевидна, когда для других она может быть тайной. Эта неуверенность в его позе и хрупкость его телосложения, эта неврастеничность во всем его облике. Никакой силы, самоутверждения нет, ничего, только боязливость, которую видит Тициан. Зато голова, увеличенная крупным планом, дает картину поразительную. Это очень большая разница, какая-то диспропорция, как в картинах Веласкеса у карликов. У него какие-то детские одутловатости, надутые щеки, отечность лица, отечность заплывших глаз, больных и тусклых. Тяжесть век и вместе с тем какая-то колючая настороженность взгляда. Это осторожное продумывание — кто пнуть может, кто ударить. Нет, это не государственная бдительность и политическая осторожность, это личная самоохрана, личное самооберегание: как бы кто не подошел и не спихнул. Это комплекс неуверенности в себе и при этом крайней подозрительности ко всему окружающему. При одутловатых, обвисающих щеках большого младенца это придает его лицу даже легкую дегенеративность в сочетании с этой выступающей челюстью Габсбургов и очень большим лбом. Но этот лоб не несет света, не несет мысли. Просто непропорционально большой лоб. Это лицо отличается удивительной негативностью, какой-то выразительностью психической дегенерации, которая заложена в этом юноше. Но не просто в нем сейчас, а в нем потом, в нем неистребимо, в нем навсегда.

Мы часто задаем себе вопрос: каким образом Карл IV и его жена Мария Луиза не понимали того, что делал с ними Гойя? Ну как они не понимали, что он почти карикатуры на них пишет? Конечно,

Рафаэль Санти. Сикстинская мадонна, 1512–1513
Галерея старых мастеров, Дрезден

Рафаэль Санти
Автопортрет
1506
Галерея Уффици, Флоренция

Рафаэль Санти
Портрет Папы Юлия II
1511
Лондонская национальная галерея, Лондон

Рафаэль Санти
Правосудие
1509–1511
Станца делла Сеньятура, Ватикан

Рафаэль Санти
Философия
1509–1511
Станца делла Сеньятура, Ватикан

Рафаэль Санти
Поэзия
1509–1511
Станца делла Сеньятура, Ватикан

Рафаэль Санти
Теология
1509–1511
Станца делла Сеньятура, Ватикан

Интерьер станца делла Сеньятура
Oro1/Wikimedia commons

Рафаэль Санти
Мадонна Альба
1511
Национальная галерея искусства,
Вашингтон

Рафаэль Санти
Мадонна делла Седиа,
или Мадонна в кресле
1514
Палаццо Питти, Флоренция

Рафаэль Санти. Афинская школа, 1509–1511
Станца делла Сеньятура, Ватикан

Рафаэль Санти. Диспута, 1509–1511
Станца делла Сеньятура, Ватикан

Рафаэль Санти. Парнас, 1509–1511. Станца делла Сеньятура, Ватикан

Рафаэль Санти. Добродетель, 1509–1511. Станца делла Сеньятура, Ватикан

Рафаэль Санти. Обручение Девы Марии, 1504
Брера, Милан

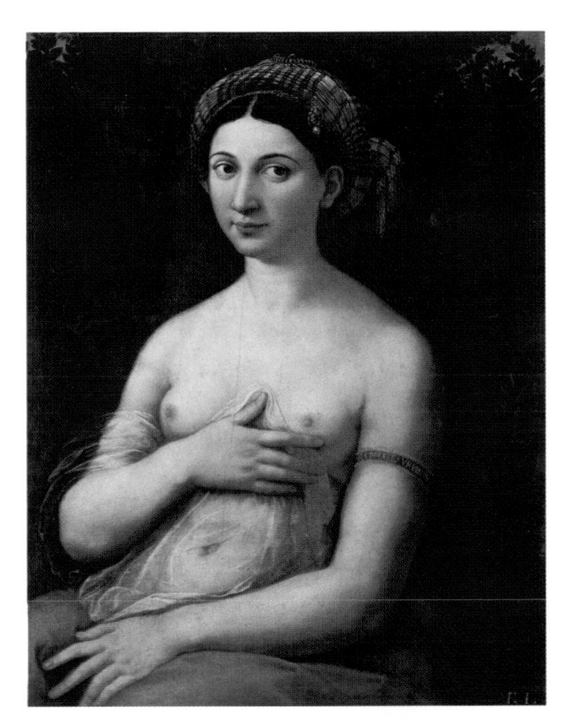

Рафаэль Санти
Форнарина
1518–1519
Палаццо Барберини, Рим

Рафаэль Санти
Женщина под покрывалом
или Донна Велата
1515–1516
Палатинская галерея,
Палаццо Питти, Флоренция

Рафаэль Санти
Первичный двигатель
1509–1511
Станца делла Сеньятура, Ватикан

они этого не видели: они же были короли, они же были Габсбурги, они же не были лавочниками, которых посадили на престол, и они знали что они сами на себя похожи, даже очень похожи. Ну и что, что они некрасивые, они же такие, какие они есть. Они — Габсбурги, они — испанские короли. У них рефлексии нет в сознании, нет критической самооценки. Точно так же смотришь на этот портрет Филиппа II, поразительный по точности психиатрического диагноза, и думаешь: «Боже мой, не видели?» Видели. Но понимали они совсем по-другому, чем мы понимаем. Они видели себя в царственном облачении, в момент торжественный, во всей амуниции, и очень сильно похожими, видели себя написанными кистями гениального художника. Существует такое предание, что Тициан, когда писал портрет Карла V, ронял во время сеансов кисти, а Карл V эти кисти поднимал и передавал ему. Можно подумать, что не было какого-нибудь мальчишки, который мог эти кисти поднять и мастеру подать — мастеру, которого вся Венеция в цинковом гробу хоронила. Конечно, был. Но эта прекрасная история свидетельствует о том, что Карл V знал: окна в бессмертие лежат через искусство. Искусство — это знак бессмертия. Запечатление кистью Тициана — это уже есть бессмертие, осознание этого им было свойственно. Для нас искусство — это не бессмертие, поэтому нам могут сказать: «Попозируйте!» — а мы скажем, что некогда время терять. И правильно скажем. Но они знали, что значит позировать перед Тицианом. Что бы мы сейчас говорили о Карле V? Ну, петитом в какой-то книжке исторической или еще как-нибудь. А тут портреты — полное бессмертие, и мы вспоминаем жизнь его и кто он был.

И вот конный портрет Карла V. Он изображен верхом на черной лошади, покрытой ярко-алой попоной. Золотой и алый султан на голове. Он одет в рыцарские царственные доспехи, с орденской лентой Сантьяго через плечо, и в рыцарский шлем, украшенный ярко-красным султаном из страусовых перьев.

Он едет на этом иноходце, и Тициан написал его как бы из окна своей мастерской. Он взял ровно тот объем пространства, который он может видеть из окна своей мастерской, Карл так и позировал перед окном.

Образ мира художники флорентийские, римские и умбрийские передают через архитектуру мира, через архитектурные пространственные модели. Образ мира венецианцы XVI века передают не через пространственную, а через живописную цветовую среду. Тициан здесь выстраивает концепцию социальной личности. Тициан выстраивает ее через живопись, у него цвет становится образно-психологическим началом. Он становится тем, чем было для художников Италии XV века построение пространства. Именно не индивидуальную, а социальную концепцию личности он решает через живописную партитуру, у него вся картина написана в черно-багряных тонах, вся она залита кровью.

Мотивом для такого живописного построения, вероятно, является заход солнца. Карл как бы едет на черном иноходце на закате. Небо багровокрасное, с рваными черно-серыми облаками, как бы быстро бегущими, они здесь создают эту систему незаконченности пробега, незавершенности ухода, понятие метаморфозы, которая у них раньше лежала в образе дороги. Черное дерево с темным силуэтом прорисовывается на фоне оранжево-красного неба, и цвет настолько активен, что он, как в зеркале, отражается в вороненых серебряных латах Карла, то есть они у него залиты красными рефлексами освещения неба, как бы небо играет в этих латах, а отсюда какие-то багрово-красные подтеки. Он как бы весь залит кровью, на черном иноходце, и акцентированные удары алого султана лошади и султана у него на голове, пучки красного, что еще больше усиливает ощущение кровавой темы. Очень бледное лицо, серое, меловое, тоже с отзвуками, отблесками красного на лице. Это не столько портрет Карла V, сколько образ смерти, уничтожения. Для Тициана это понятие Карла так же, как понятие Филиппа для него — немощь, человеческое бессилие, психическая дисфункция, нездоровье, слабость, мнительность. Для него образ Карла V — это образ истребительности, это образ сеятеля смерти, это образ разрушения. Дело в том, что он едет на этом коне с черной пикой, которая по диагонали перерезает холст, и он не видит перед собой ничего. Он несет эту миссию, он подвластен ей, он тоже во власти ее. Так же и Тициан во власти своего поразительного дара видеть.

Этим образом социальной оценки, которой не имеет ни литература, ни философия, ни другая живопись эпохи Возрождения, обладает лишь один

Тициан, точно так же, как лишь один Рафаэль, владел образом этой полновыраженной философской системы гармонии в эпоху Возрождения. Так и Тициан владел своим единственным особым даром. У него есть не только образ этой социальной оценки, но у него есть понятие, иначе он бы так не написал, а написал по-другому. Может быть, не на черном коне, а на фоне рассвета или солнечных лучей: встает солнце, а он тут — освободитель. Он же специально пользуется этой цветовой партитурой. С его живописью входит цвет как образ, как метафора — точно так же, как было с пространством. Но у него помимо этого есть еще и интеллектуальная психология человека, выраженная через портрет. То есть у него идет система двойного раскрытия. И она существует не только в этом портрете, но в нем — в самой высокой мере.

Портрет действительно заставляет думать не о самом Карле V, а о Тициане. Для психологов он совершенно особое явление, потому что тот объем, в котором он умел брать характер, та эволюция и диалектика, в которой он брал характер, этого нет даже у Рембрандта. Тициан не только дает характер в очень большом объеме, он еще дает текущее время, метаморфозу. То, о чем мы говорили применительно к Тинторетто, только Тинторетто выражает это через цвет, а Тициан это дает какими-то другими признаками, другими вещами. И какими — мы сейчас увидим.

Он пишет Карла V в кресле в костюме испанского идальго, никак не императора. Он одет в платье испанского идальго, и единственное, что его отличает, — это орден Золотого руна, который на шнурке висит у него на шее. Он сидит в испанском кресле, на декоративном фоне, принятом в венецианских композициях, на фоне шпалеры. На нем черный испанский берет, изобретенный испанцами. Здесь нелишне сказать о некоторых элементах испанского костюма, потому что они носят явно выраженный характер психологии и сознания испанцев в XVI веке.

Испанцы были первыми изобретателями корсета, и корсет появляется с испанцами в XVI веке как корсет мужской, потому что корсет — это дисциплинирующая форма, вытягивающая спину, он все время дисциплинирует человека, держит под контролем. Как бы бессознательно осуществляет контроль над человеком: тут не дохнешь, не прыгнешь. Корсет предусматривает определенное поведение, туловище. Корсет предусматривает определенную походку, корсет предусматривает определенные чисто механические посылы сознанию — вот эту дисциплинирующую внешнюю форму. И вместе с тем, корсет очень психологичен, потому что он дает очень изолированную интровертность.

Но это еще не все. Испанцы же изобрели особый вид камзола с воротником, который поднимал подбородок: высокая стойка и белый воротник. Голова лежит как на подносе. Мало того, что ты в корсете, ты еще весь в таком воротнике, и голова у тебя как на подносе. Еще у тебя в придачу эспаньолка. Эспаньолка, вытягивающая лицо и заставляющая держать голову высоко. Понимаете, что получается?

Корсет, камзол, воротник, эспаньолка — и вот вам социально-психологический портрет идальго. Не только внешнее поведение, но и его внутреннее состояние. Но и это еще не все. Поверх всего на голове они носили специально изобретенные ими для этого мучительства маленькие береты. Еще на этом берете было перо. Берет ничем не прикреплялся к голове, он просто должен был держаться: попробуй дрогнуть — ты потеряешь берет. Это все равно, что самураю потерять на голове клочок волос, это лучше на свет не родиться, чем потерять этот самый берет.

Они были создателями моды, которая определяла психологию, сознание целого класса, социального слоя: его поведение, его внутреннее и внешнее состояние, разделение внутреннего с внешним. Да еще в два цвета это все ввели: в черный и белый. Но Карл одет как раз в платье испанского идальго, он уже пожилой человек, поэтому может позволить себе более свободный костюм. У него на голове только такая глубокая шапочка. Шуба черная, черные перчатки, черная обувь. И кроме ордена никаких других отличий нет. Он как-то косо сидит, как будто только что пришел и ненадолго сел в это кресло, для того чтобы побеседовать. У него лицо отнюдь не императора, а очень больного и усталого человека. Человека, для которого жизнь представляет собой усталость и страдание, физическое и нравственное, которое прямо впечатано в его лицо.

Представление о том, что это император, смывается, как в случае с Филиппом II. Оно подменяется образом больного и глубоко страдающего человека. Но дело не только в этом, а дело в том, что здесь есть существенные добавления, как бы комментарий к этому портрету. Писатель может показать человека сейчас и спустя какое-то время, к этому живопись совершенно непригодна, потому что живопись — вневременная форма. И добиться этой временной формы в искусстве, обозначить факт развития, эволюции личности, пройденного пути чрезвычайно сложно.

Тициан делает то, что в живописи больше никому не удавалось сделать. Он вводит здесь пейзаж в проем окна, на фоне которого сидит Карл. Он вводит пейзаж, никогда и нигде не существовавший. Он пишет просто пейзаж. И пейзаж это такой: очень убогая и размытая дорога, петляющая, ведущая к какой-то маленькой хижине, хибарке. И деревья как-то косо поставлены по обочине этой дороги, и еще там какая-то купа деревьев. Это серо и жидко написанный пейзаж, без цвета — как будто это сон или мираж какой-то, причем очень неяркий, с каким-то раскрытым и вместе с тем закрытым для блаженства безрадостным небом. И только очень много времени спустя, несколько столетий спустя, один из исследователей, сопоставив факты смерти Карла V и жизни последних его лет, обнаружил иносказательный смысл пейзажа Тициана. Он мог это и придумать, но он же не придумал конца Карла V, который при жизни своей отрекся от власти, отдав престол Филиппу II, ушел в самый отдаленный монастырь и там умер, в этом далеком и бедном доминиканском монастыре. Это факт его жизни, это не мог придумать тот искусствовед, который факты его жизни сопоставил с эти пейзажем, увиденным нами в проеме окна.

Тициан не был гадалкой, он не предсказал судьбу Карлу V. Но он был Мастером, в булгаковском смысле этого слова: он ее угадал, он ее увидел, он ее знал. Логикой это сделать нельзя, но он художественной интуицией психолога и гения увидел этот конец не в смерти, а до нее, и освобождение в этом конце, в этой дороге и заброшенном монастыре, живущем вот под этим серым небом. И ни одному художнику так, как Тициану, не было так много раскрыто в человеке, не только в глубинах его сознания, но в его движении, в диалектике. Можно сказать, что ни одного художника по уровню понимания и по уровню раскрытия человеческой личности нельзя так близко сравнить с Шекспиром, как Тициана. Они не могут быть буквально сопоставлены, потому что один — писатель-драматург, владеющий другим языком, временной формой, гораздо более пригодной для раскрытия глубинных форм, а другой — живописец. И тем не менее, только его можно поставить рядом с Шекспиром по оценкам, как масштабно социальным, так и психологически индивидуальным, по тому, как он раскрывает в каждом герое полноту личности с очень точно выстроенным духовно-психологическим концом жизни.

И еще два портрета. Один — портрет частного лица. Это портрет Ипполито Риминальди. Он был довольно зажиточным венецианским адвокатом и знакомым Тициана, человеком знатным, но все-таки он был не папой и не кардиналом, он был просто адвокатом. Это очень красивый портрет. Он принадлежит к числу портретов композиции «окна».

И это любимый формат Тициана, когда он пишет частное лицо. И таких портретов в такой композиции очень много. Это не подробный портрет, а поколенный. Здесь все пространство сжато вокруг Ипполито Риминальди, нет никаких элементов в пространстве, оно все закрыто вокруг него. Герой просто сидит в раме этого окна, и пространство только световое. Это пространство, которое у него охристое, довольно темное. Все мужские портреты Тициана написаны темно, они не имеют цветовых акцентов, в отличие от необыкновенно декоративных и празднично написанных женских портретов. Даже если мы возьмем портреты Карла, где так много алого, это алый другой, недекоративный, этот алый — отчаяние, кровь, боль, крик. Это алый состояния, эмоций. Но, как правило, Тициан пишет мужские портреты в системе одноцветового языка. Он берет за основу один цвет, который является для него ведущим, основным. И он разрабатывает партитуру цвета, то есть то, что называется тоновой живописью, когда в пределах одного цветового распределения работает вся тонально-живописная партитура. Вот так написан портрет Ипполито Риминальди.

Здесь два таких более ярких акцента, но они в состоянии такой темной охры, темно-коричневой. Они также не очень яркие, потому что лицо Ипполито Риминальди как бы очень загорелое, очень смуглое лицо, но оно все-таки здесь контрастно, как приклеенное. У Тициана в этой живописной системе оно мерцает бронзой загара, но отсюда таким акцентом разительной силы глаза, насыщенной синевы глаза. Поэтому они — самые близкие точки, потом лицо — более далекая, потом фигура — еще более далекая точка, и пространство — еще более далекая. Или он сам идет наоборот, он к нам идет от пространства: лицо-фигура-глаза. Потому что глаза совершенно немыслимой синевы.

Объем, в котором Тициан берет человека, всегда двойной. Это всегда личность, как какой-то социальный факт, явление, и характеристика, связанная с понятием личности и характера, с понятием индивидуальной психологии. У него два объема, две сферы в характеристике. Риминальди очень интересно характеризуется Тицианом. Тициан первый увидал, первый обнаружил и показал, какое значение имеют руки в построении психологической композиции и портрета. У него композиция рук такая по лаконизму и притом предельной семантике, что сравниться с этим могут разве что руки Рембрандта, эти сложенные руки на коленях у стариков. Одна рука у него уперта в бок. Вот эта рука — то же самое, что у испанцев корсет, и то же самое, что у них воротник, и то же самое, что их берет. Это они так по улицам ходили, чтобы показать, кто они есть такие.

Тут близко не подойти. С одной стороны, это самооборонительная поза с некоторым вызовом, что «я иду». И вот этот жест руки Тицианом показан. А с другой стороны — его правая рука. Она как бы выведена на нас. И он держит в руке перчатку. Но если не знать, что он держит перчатку, можно было бы подумать, что он сжимает в этой руке кинжал, потому что тот жест, которым он держит эту перчатку, это тот же жест, которым сжимают кинжал.

Вот так Тициан его определяет как образ, личность, эпоху Возрождения. Вот это понятие «я иду», такое достоинство, нападательность, оборонительность. Вот, под шубой адвоката одета кольчуга. И лицо жесткое, властное, без улыбки. И необычной синевы глаза. Эти глаза как бы ассиметричные: правый поставлен вкось, смотрит в одном направлении, а другой смотрит в другом направлении. Какая-то расфокусированность, которая создается еще за счет необычной синевы. Это удивительнейшее внутреннее наполнение. Необычайный внутренний объем. Погруженность в бездну, которая находится внутри, мысль, бдение этой мысли. Необычайно высокая духовность. И это очень контрастно по отношению в той нападательности, оборонительности, достоинству, вызову социальной личности. И к этому контрасту синевы без белков, уводящему во внутренние пространства, глубины нежности. И задумчивость какой-то рефлексии необычайной.

У Тициана есть несколько портретов такого уровня, но этот портрет виден во всем мировом искусстве портретном, он может занять одно из самых почетных мест среди портретов выдающихся живописцев, например, Веласкеса, Гойи и более того — Рембрандта. Очень мало портретов, которые берут через живопись и через живописную композицию такой объем раскрытия личности. Вот почему мы говорим, что из всех его современников мы можем сравнить его только с Шекспиром.

Конечно, это мир разрушенной гармонии, это уже мир диссонанса. Тициан показывает очень глубокий диссонанс, тот, которого у Рафаэля быть не могло. У Рафаэля внутреннее и внешнее слито. Человек осуществлен внутри себя так же, как он осуществлен социально, он социально-психологически тождественен. А вот у треченто вообще внутреннего осуществления нет, оно не предполагается. Человек существует только извне, как некая активно-действенно-работающая сила. Просто «я иду». «Иду на вы». И все. И тут есть эта чистая энергетика, сознание, лишенное рефлексии, идущее напролом, прямо действующее. Свалился — значит, был неосмотрителен. У Рафаэля есть идентификация внутреннего и внешнего и есть расслоение внутреннего и внешнего. У него появляется невероятный разрыв.

Вот еще удивительная вещь, которую можно назвать зеркалом истории. Тициан необычен, как Шекспир, он просто исторически мыслящий художник. Это тройной портрет, коллективный портрет: папы Павла III, который ввел в Италии цензуру и утвердил Орден Иезуитов, и двух его племянников. Кардинал Орсини, который стоит слева, и Оттавио Фарнезе, который справа подходит к нему, чтобы ему поклониться. Весь этот портрет написан одним цветом — красным. И никаких других цветов больше нет. Но зато здесь очень сложная партитура состояния этого красного: очень бледное лицо, длинная борода и чистая артериальная кровь, как стакан чистой крови. Это Орсини стоит в кардинальской пелерине и шапочке. Бледное лицо и темная борода.

Папа написан так: лицо белое, но белым не выглядит, оно как будто бы жидкая кровь, которая разведена на воде. Не тени, а что-то захватано какими-то кровавыми руками, какие-то подтеки жидкой крови в складках. Тут белого совсем не видно. Оно такое неприятное в чисто физическом ощущении. Эти глубокие подтеки и горностаевая мантия, она у него алая, а это такая малиновая, дряблая, противная по цвету. А тут горностаевые хвостики, как капли крови, текущие из рукавов. И руки у него такие деревенские, огромные. Никакой одухотворенности нет, такие здоровенные лапищи, такое же и лицо. Все у него жидкое, дряблое, старческое. А Оттавио просто красавец — это просто бифштекс лежалый, а не мужчина. Он весь в цвете давно лежавшего бифштекса. Лицо, одежда — это черная, тухлая и запекшаяся кровь. И ноги у него, как у гуся или индюка. Он на этих красных индюшачьих ногах подходит к папе. А занавеска впитывает все цвета, которые только есть. Вся симфония цвета собрана там, занавеска как бы пропитана им, она какая-то влажная. Вообще, все написано жидко. Конечно, не случайно эту картину не показывают. Потому что если сумасшедший полез на «Ивана, убивающего своего сына», который на некоторых людей произвел впечатление, то тут уже здоровый человек полезет, сойдет с ума. Потому что это действительно какая-то кровавая патология, кровавая кошмарность мира в этом во всем. А между прочим, это папа с кардиналом, с племянничками. И написано вполне благопристойно. Секретарь его Орсини стоит, а справа подходит для поклона второй его секретарь Оттавио. Очень почтительно, но вместе с тем вы понимаете, что у него за спиной удавка. А папа знает, что у него за спиной удавка, что он в ловушке, что с одной стороны он заперт столом, в край стола он вцепился так, что нельзя ни вскочить, ни вывернуться, а другой рукой вцепился в подлокотник кресла и смотрит на него, как старый и затравленный волк, который знает, что он в капкане.

Вот, Тициан показывает эту арену истории. Все залито кровью. Эти люди как воплощения кровавого кошмара, как образ преступности. И за исключением Орсини, который чист и невинен, он пал жертвой неких интриг, эта пара просто достойна друг друга. Этот Оттавио, который шел через трупы к кардинальской мантии, потом хотел стать папой. Но бесполезно говорить, что кардиналом-то стал вместо своего брата, но до папы ему было далеко.

Тициан писал эту картину, когда все эти люди стояли на своих местах перед ним. Он был приглашен для написания этой картины. Нужно сказать, что Павел III ездил к нему позировать, потому что Тициан не выезжал, к нему ездили. Но для него, видимо, очевидна была не только судьба этих людей в настоящем и будущем, но и тот принцип, по которому они сами живут, и среда, в которой они существуют. Это историческая картина, потому что здесь есть определенная линия, прослеженная диалектика, которая ведет к такому концу. Тициан ее понял. О том, что он понял, свидетельствуют его картины последних лет. Это, конечно, его «Апполон и Марсий», где он изображает себя, свой автопортрет в виде судьи

Марсия, это «Святой Себастьян» — вещи, которые дышат подлинной трагедией, подлинным пониманием и ощущением конца, точным знанием о нем. И внутренним протестом, который живет в Тициане, величайшем живописце и мудреце, художнике, который был более чем философ, он был великим художником-провидцем. В него включался процесс творческого сознания, не только интеллектуально-философская система школы, система личной одаренности. В него включалась еще одна система, система гениальнейшей художественной интуиции, которая свойственна лишь только гениям. Вот так же, как нашему Пушкину, который наперед знал многие вещи. Это был уровень, на который каждый художник подняться не мог.

Ангел Рафаэля

Какой задумчивый в них гений,
И сколько детской простоты,
И сколько томных выражений,
И сколько неги и мечты!..
Потупит их с улыбкой Леля —
В них скромных граций торжество;
Поднимет — ангел Рафаэля
Так созерцает божество.

О Рафаэле очень трудно говорить потому, что мы можем только повторять, с различными комментариями, эти строки Пушкина. И, что бы мы ни смотрели, что бы мы ни говорили, мы просто будем комментировать, перепевать эти слова и все.

Обратимся к картине Рафаэля «Мадонна делла седия», или «Мадонна в кресле», что хранится в галерее Питти. В этой картине, в этом образе Марии, младенце и Иоанне Крестителе есть какая-то сложная составляющая, какой-то очень важный эмоциональный момент. На этой картине вы видите Мадонну, сидящую в кресле. Посмотрите, как она прижимает к себе своего младенца. Не нежно, а с каким-то неистовством, словно она охраняет его от чего-то. И посмотрите, как пристально она глядит на нас. И младенец, который так прижался к своей матери. А посмотрите, каким толстым и перекормленным делает художник младенца. Он показывает этим всю любовь матери, что вложена в этого ребенка. И рядом Иоанн Креститель. В исследованиях, посвященных Рафаэлю, есть такое предположение, что последняя датировка этой картины 1515–1516 годы. А 1517 год — это год Сикстинской мадонны. Причем некоторые исследователи полагают, что «Мадонна делла седия» и то, как слишком сильно мать обнимает этого младенца, то, как она оберегает его от кого-то, то внутреннее напряжение этой необыкновенной женственности, можно даже сказать, цветущей женственности, что мы видим на картине, есть первый звонок тревоги, предчувствие того, что потом взорвется в трагедии Сикстинской мадонны.

«Мадонна делла седия» выбрана нами не случайно. В Рафаэле как в художнике есть одна особенность, есть одна художественная черта, которая мало исследована, и которой исследователи не уделили достаточного внимания. Рафаэль был художником Возрождения, и этим все сказано. Он был художником-гуманистом эпохи Возрождения. Он был художником больших знаний, потому что все большие художники той эпохи обладали большими знаниями. Почему? Да потому, что для того чтобы оставить после себя то наследие, которое оставил он, Микеланджело или Мантенья, надо было очень много знать. Они оставили после себя образы историко-духовные, философские, которые заставляют тебя непременно думать о том, что ты видишь, и зачем это написано. В этом плане эпоха Возрождения, конечно, уникальна, когда гений, когда небо снизошло и появилась вот эта одухотворенность, одаренность природой, которая неизвестна никому. А Рафаэль, безусловно, был гением, и потому таинственен и не расшифрован.

Посмотрим на «Мадонну в кресле» не так, как мы ее воспринимаем — эмоционально, а несколько с другой стороны. Обратите внимание на композицию, как она построена и организована. Что мы тогда видим? Мы видим, что центром картины, безусловно, являются два лица — матери и младенца, прижатые друг другу. Главным является лицо матери. Попробуем мысленно провести спиралевидную дугу вокруг лица матери. Потом выводим ее на внешнюю орбиту картины, затем снова ведем дугу, идущую по ее рукаву и руке младенца, и, захватив уже два лица, снова выводим дугу на орбиту. Заново проводим ее, и она идет по ноге младенца, захватывая при этом Крестителя, и снова выводим дугу на орбиту. Теперь делаем половину оборота и смотрим. Перед нами графика спиралевидной композиции. Спираль в три с половиной оборота. Именно так была образована композиция этой картины. Она сначала была организована, а потом осмыслена как образ. А что такое спираль в три с половиной оборота, как не очень широко известный знак вселенский, космический, знак построения Вселенной, а также спираль, находящаяся на панцире улитки. Что это, случайностью или Рафаэль знал? Дело в том, что начиная еще со строительства древних веков, начиная со строительства готических соборов, было принято вписывание фигур-символов в композицию, и Рафаэль владел этим искусством. У художников эпохи Возрождения мало провалов. У них у всех есть общая черта: они, прежде чем что-либо делать, структурировали свои произведения, и Рафаэль — наипервейший конструктор всех своих вещей.

Мы воспринимаем Рафаэля как художника эмоционального и гармоничного, как совершенного в своей форме и духе, а он является художником очень конструктивным, и в основе всех его работ лежит абсолютно архитектурно-конструктивная основа. Выражаясь современным языком, он является идеальным сценографом своих картин: и живописным, и монументальным.

Если мы продолжим эту тему и возьмем одну из его самых знаменитых фресок «Афинская школа», в станце делла Сеньятура, то на ней мы увидим всех великих философов. В центре — Платон, Аристотель, Пифагор, Диоген, Леонардо. Но в этой картине интересно прежде всего то, как он выстроил пространство этой школы. Ее композиция — это арка, вписанная в арку, вписанную в арку. И называется это — перспективно-ритмическое арочное построение. Главная и центральная арка является центром этой композиции — там, где изображены Платон и Аристотель. Они — ядро этой композиции. Потом начинается еще одна арка, которая захватывает определенное пространство, затем идет вторая, третья и, наконец, та, что наплывает на нас, и мы становимся как бы частью этого арочного построения и как бы входим внутрь этого пространства, оказываясь в афинской школе.

Но здесь имеется еще одна тонкость. Дело не только в том, что здесь есть конструктивно и архитектурно выстроенная театрально-сценографическая композиция с захватом зрительного зала, но и в том, что он не просто так все это выдумал. Это один из неосуществленных архитектурных проектов архитектора Браманте, который разработал все это для неосуществленного им собора Святого Петра. Как видите, ничего не пропало, потому что Браманте был его соотечественником, другом, коллегой, и Рафаэль не мог дать пропасть проекту. И только после того, как он выстроил композицию, расположить фигуры философов не составило никакого труда. Это уже то, что называется на современном языке «мизансцена». А настоящие режиссеры знают, что сначала делается сценография всего, а потом актеры располагаются внутри мизансцены. Рафаэль был идеальным современным сценографом. Не художником театра, не декоратором, а сценографом, где образ и пластическиархитектурное решение образа есть одно и то же. Осмелимся даже сказать, что с точки зрения композиции или сценографии Рафаэль был намного совершеннее Микеланджело.

В станце делла Сеньятура, где расписана «Афинская школа», есть изображение замечательной фрески. Она называется «Парнас». На ней, слева, есть одна женская фигура. Она очень интересно написана: посмотрите, как она сидит, с такой свободной непринужденностью опершись на косяк двери, расположившись на нем, как на кресле. Какой учет, какое соединение с той архитектурой, что задана дверью, с той архитектурой, продолжением которой является «Парнас» — просто диву даешься!

Этот метод Рафаэля, о котором мы говорим и который называем сценографией, у него обозначился очень рано. Если мы возьмем его работу «Обручение Богородицы», то там это более обнажено. Это ранняя картина, и в ней присутствует такая простота. И опять это арочное построение. Внутри есть замечательный проект Браманте — храм, состоящий из арок, которые продолжаются и в самой группе, что стоит на переднем плане, потому что склоненные головы Марии и Иосифа, замкнутые на Первосвященнике, и даже их руки тоже образуют эти арки.

Арка — элемент римской архитектуры. Рафаэль живет в Риме, он видит эти арки, но дело не в этом. Дело в том, что арка есть образ объединения, согласия, гармонии, единения. Для него арка — это знак его внутреннего примирения, соединения. Замечательно писал советский поэт Коган, очень радикальный: «Я с детства не любил овал, я с детства угол рисовал». Это люди, которые рисовали углы, а вот Рафаэль рисовал арку, и для него очень важен был момент слияния, объединения, единство души и тела, бога и человека, человека и природы.

Рафаэль никогда не был нелюбим и не находился в забвении, но особенно сильно его значение выросло в XIX веке. Для XIX века Рафаэль был буквально одним из самых важных художников. Это век душевно неспокойный, расколотый и находящийся в состоянии тяжелого внутреннего борения. Этот век пишет на своих знаменах Рафаэля всякий раз, когда хочет утвердить идею художника Возрождения. Например, Рафаэль имел большое влияние на французскую академию. Великий французский художник Энгр, ученик Давида, молится на Рафаэля, подражает ему, пишет картину, которая находится в Музее изобразительных искусств — Мадонна в синем, что стоит около облатки причастия. И, наконец, его гениальная картина «Источник» в музее Орсе, в которой видится такая тоска по совершенству рафаэлевских форм чистоты и мечты.

Были художники, что называли себя назарейцами. Они были, в основном, художниками немецкими и итальянскими, которые жили в Италии, и во главе которых стоял Фридрих Овербек. Он буквально повторил фреску Рафаэля в станце делла Сеньятура «Диспут о таинстве причастия». И, если их сравнить, то становится понятно, что ничего Фридрих Овербек не повторил — он дышит другим воздухом, мыслит и чувствует по-другому.

Жан-Огюст Доменик Энгр. Мадонна перед чашей с причастием. 1854. Музей Орсе, Париж

В числе художников, примыкавших к назарейцам, был и наш Александр Иванов — безусловно, гениальный художник, но самая большая его картина «Явление Христа народу» всегда вызывала и вызывает в России очень большие споры. С одной стороны — это грандиозная картина, а с другой — в ней есть нечто, что дает пищу для дискуссии. Сам Иванов был человеком, ратующим за возвращение к идеалам прошлого, высокого нравственного преображения душ, высокого духовного преобразования. Он считал, что человечество может быть преобразовано только через сознание, а не через социальные изменения. Он нес это людям и посвятил этому свою картину. И что же? На этой картине есть зрители, но нет основного героя. Он написал огромное количество этюдов, огромное количество эскизов, он создавал их через римские копии и оригиналы, он искал их на улицах, он населял свое огромное полотно прежде всего реагирующей толпой. Но тот, кто нес эту идею, пропал. Он не несет ни энергии, ни сил — его просто не видно. Вместо того, чтобы сначала создать сценографическое пространство с главным действующим героем, распределить все пространственное содержание картины и уже потом населять его героями, как это сделал бы Рафаэль, он все сделал наоборот. К тому моменту были утрачены все приемы философско-монументального построения пространства.

Последователи Рафаэля и других великих художников Италии цеплялись за форму и за их огромный этический опыт — такое невероятное гуманистическое целое — и не учитывали того, какой художественной школе они принадлежат. Поэтому у них большие живописные композиции проваливаются у всех без исключения. Их интересовала драматургия и эмоции и не интересовало то пространство, внутри которого происходило действо.

Шлейф Рафаэля огромен. Об этом можно говорить бесконечно много, но, в финале, скажем о том, что существует такая максима, очень широко распространенная, — максима Достоевского. Кто только ее не повторяет! Она уже написана повсюду, даже на всех рекламных щитах. Все говорят только одно: «Красота спасет мир». В настоящий момент эта фраза абсолютно пуста, потому что никто не знает и не понимает, о какой красоте идет речь, и о чем вообще идет речь, но для Федора Михайловича Достоевского это была максима. И она была, несомненно, связана с произведением Рафаэля «Сикстинская мадонна». Она была его любимой картиной, и ко дню его рождения его жена заказала в Дрездене фрагмент этой картины и подарила ему. И этот фрагмент до сих пор висит в доме-музее Достоевского. Конечно, для него «Сикстинская мадонна» и была тем самым образом красоты, что может спасти мир. Почему? Потому что именно в ней было сочетание той бесподобно женственной прелести, кротости, чистоты, чувственного обаяния, совершенной святости и жертвенности, которая в XIX веке, может быть, понималась в раздвоенности нашего сознания, в расколотости нашего мира гораздо больше, чем в конце XVI века. Вот эта удивительная вещь, сочетание такой чувствительности, такой нежности, одухотворенности, абсолютной чистоты и совершенства форм и классического сценографического рационализма — вот где совершенно неподражаемая и удивительная черта всеми всегда любимого и незабвенного Рафаэля Санти.

ГЛАВА 3

Мистики и гуманисты

«Корабль дураков»

«Кто был бы в состоянии рассказать обо всех тех бродивших в голове Иеронима Босха удивительных странных и игривых мыслях, которые он передавал с помощью кисти, о тех привидениях и адских чудовищах, которые часто более пугали, чем услаждали смотревшего», — так пишет о Иерониме Босхе нидерландский Вазари, которого звали Карел ван Мандер. Далее он пишет: «В своем способе драпировать фигуры он весьма сильно отступал от старой манеры», — то есть признает его мастером-новатором, — «отличавшейся чрезмерным обилием изгибов и складок. Способ его письма был смелый, искусный и красивый. Свои произведения он часто писал с одного удара кисти, и все-таки картины его были красивы, и краски не изменялись».

Вот эта манера писать с одного удара кисти, которую предъявляет нам Иероним Босх, и о которой

Жак ле Бок.
Портрет
Иеронима Босха.
Ок. 1550

пишет Карел ван Мандер, называется «а-ля прима», просто искуснейший прием нашего времени. «Так же, как и другие старые мастера, он имел привычку подробно вырисовывать свои картины на белом грунте доски и, кроме того, покрывать тела легким топом, оставляя в некоторых местах грунт непокрытым». И это очень видно, когда вы близко подходите к вещам Иеронима Босха и рассматриваете их.

А вот поэт того времени Лапсониус в своих стихах говорит Босху следующее послание: «Что означает, Иероним Босх, этот твой вид, выражающий ужас, и эта бледность уст? Уж не видишь ли ты летающих призраков подземного царства? Я думаю, тебе были открыты и бездна алчного Плутона и жилища ада, если ты мог так хорошо написать твоей рукой то, что сокрыто в самых недрах преисподней».

Надо откомментировать и то, что написал Карел ван Мандер, и то, что написал современник Босха, поэт. Они воспринимали Босха, конечно, как художника удивительно искусного и вместе с тем пугающего, который изображает им преисподнюю, изображает им ад, голова которого полна страшными видениями, которые он так искусно передает.

И, между прочим, поэт вопрошает Босха: а что означают твои бледные уста, твои глаза, полные ужаса? Что он имеет в виду? Наверное, какое-то изображение Иеронима ван Босха, его портрет. А где он мог увидеть бледные уста и глаза изображающие ужас? В Мадриде, в музее Прадо, находится его работа — «Сад наслаждений». Вероятно, что автопортрет Иеронима Босха мы можем увидеть в створке, которая называется «Ад». Там есть такое существо, на каких-то странных ногах, напоминающих трухлявое дерево, упертых в дряхлую ладью, и на голове у этого страшного зооморфного существа, составленного из деревьев, животных, еще из чего-то, шляпа, на которой танцуют в страшном хороводе все души преисподней, и между всем этим — лицо. Вот это и есть автопортрет Иеронима Босха. То, что пишет о нем поэт, очень совпадет с тем, что мы видим на его автопортрете. Но Иероним Босх и для ван Мандера, и для нас сейчас является фигурой не до конца понятной, не до конца открытой. Современники так вообще не придавали ему такого значения, как другим художникам. И потомки тоже.

Он является представителем так называемого «нидерландского Возрождения». Он родился в месте, которое как называлось, так и называется Хертогенбосх, в 1450 году, там же он и умер в 1516 году и был похоронен в церкви Святого Духа. Хотя ван Мандер пишет, что даты его рождения и смерти неизвестны, но сейчас нам это известно. Казалось бы, он даже и не выезжал из местечка, в котором жил. Между тем, этот человек уже при жизни очень широко был связан с миром его окружающим, и, вообще, по всей вероятности, имел в этом мире совсем другое место, чем мы себе представляем. Мы все время как бы меняем оптику, с которой мы рассматриваем этого художника. Чем больше мы его постигаем, тем больше все меняется перед нашими глазами. Казалось бы, ну что вообще такого, что именно меняется по мере постижения? Что нарисовано, то нарисовано, что написано, то написано.

Возьмем простую для рассказа картину — «Корабль дураков». Это очень маленькая картина, она принадлежит Лувру. Из всех картин Иеронима Босха она наиболее простая и удобная для рассказа, потому что она небольшая и в достаточной степени просто сюжетная. Но существуют сведения, что она является центральной частью триптиха. И этот триптих состоял еще из створки, которая называлась «Обжорство», и створки, которая называлась «Сладострастие», потому что в «Корабле дураков» речь идет и о том, и о другом. Вернее, не столько об обжорстве, сколько об алкоголизме и сладострастии. Короче говоря, «Корабль дураков» когда-то был частью триптиха. Сегодня мы в Лувре видим одну эту картину, о которой и будем говорить.

Повторим еще раз, что Босх — художник особый, несмотря на традицию. Северная Голландия, или Брабантская провинция, во время его рождения, в 1450 году, была частью герцогства Бургундского, и уже только после последующих событий она вошла в состав Голландских штатов. Но Иероним Босх родился в 1450 году, и звали его на самом деле Ерун Антонисон ван Акен. Почему он стал называться Иеронимом Босхом — неизвестно. Может, Иероним — это его покровитель при крещении. Босх — может быть, потому что место, где он родился, называлось Хертогенбосх, а он взял последний слог этого места — Босх. Может быть, это и так, но Ерун ван Акен, происходил из местечка, которое называлось Ахен, что было столицей Карла Великого. Во всяком случае, где жил наш герой, там он и был похоронен. Он был благополучным буржуа своего города. Он был женат на богатой вдове и нареканий со стороны общества не имел. Меж тем нет ничего индивидуальнее, причудливее его картин.

Собственно говоря, сюжет этих картин и рассказывать нечего. Но картины его имеют огромное количество смыслов. Например, все единодушно утверждают, что кроме видимого сюжета, которым всегда названа картина («Корабль дураков», или «Сад наслаждений», или «Бегство в Египет»), есть еще огромное количество смыслов. Но вернемся к предмету нашей беседы — к «Кораблю дураков». Казалось бы, и правда, ничего нет проще этого сюжета. Какая-то очень сильно подвыпившая компания, поет хором песни, пьет. Этот корабль уже пророс, он никуда не плывет, из него дерево растет, и какой-то парень, вооружившись ножом, лезет на него, потому что на верхушке как бы мачты — упакованный жареный поросеночек. Ничего нет проще, чем этого поросеночка сейчас взять и съесть, он уже готовый, он уже жареный. И парень просто с ножом лезет туда. Но поднимем глаза кверху — и увидим, что над ним развивается розовый флаг. А на этом флаге нарисована луна в первой четверти своего появления или, наверное, исчезновения. А дальше крона, крона этого дерева. И вот тут-то подстерегает изумление: в цветущей, великолепной кроне дерева, где вообще все так хорошо, и какой-то флаг развивается, и жареный поросенок — только поднимись, только срежь его, закуси и выпей... а там изображен череп. Череп очень интересный. Это не просто череп, это череп Адама Кадмона, который всегда изображают в иконах и картинах, называемых «Голгофа», под изножьем креста. Крест, под крестом пещера, и в пещере обязательно череп. Это череп первого Адама, Адама Кадмона, над которым древо, потому что крест — это древо. И корабль пророс древом. Внутри его кроны мы видим череп, и это череп Адама Кадмона.

Есть еще одна замечательная деталь в этой маленькой картине. Посмотрим в нижнюю часть, где изображена эта замечательная подвыпившая компания. Что здесь непонятно? Да все вроде бы понятно, и понимать тут нечего. Но мы видим, что справа, совершенно отдельно, сидит член этой компании, он как бы с ними, но совершенно от-

Лукас Кранах Старший
Портрет Катарины
фон Бора (Лютер)
1528
Галле-Виттенбергский
университет имени Мартина
Лютера, Виттенберг

Лукас Кранах Старший
Портрет Мартина Лютера
1532
Музей города Регенсбург

Микеланджело Буонаротти. Сотворение Адама. 1510
Сикстинская капелла, Ватикан

Микеланджело Буонаротти. Сотворение Евы. 1510
Сикстинская капелла, Ватикан

Микеланджело Буонаротти. Отделение суши и вод. 1508–1512
Сикстинская капелла, Ватикан

Микеланджело Буонаротти. Отделение света от тьмы. 1512
Сикстинская капелла, Ватикан

Микеланджело Буонаротти
Страшный суд. 1537–1541
Сикстинская капелла, Музеи Ватикана, Ватикан

Иероним Босх
Ecce Homo (Христос перед толпой)
ок. 1480–1485
Штеделевский художественный институт, Франкфурт

Иероним Босх. Страшный суд. 1504
Академия изобразительных искусств, Вена

Иероним Босх. Воз сена. 1500–1502
Прадо, Мадрид

Иероним Босх
Искушение святого Антония. 1505–1506
Национальный музей старинного искусства, Лиссабон

Иероним Босх
Корабль дураков
1495–1500
Лувр, Париж

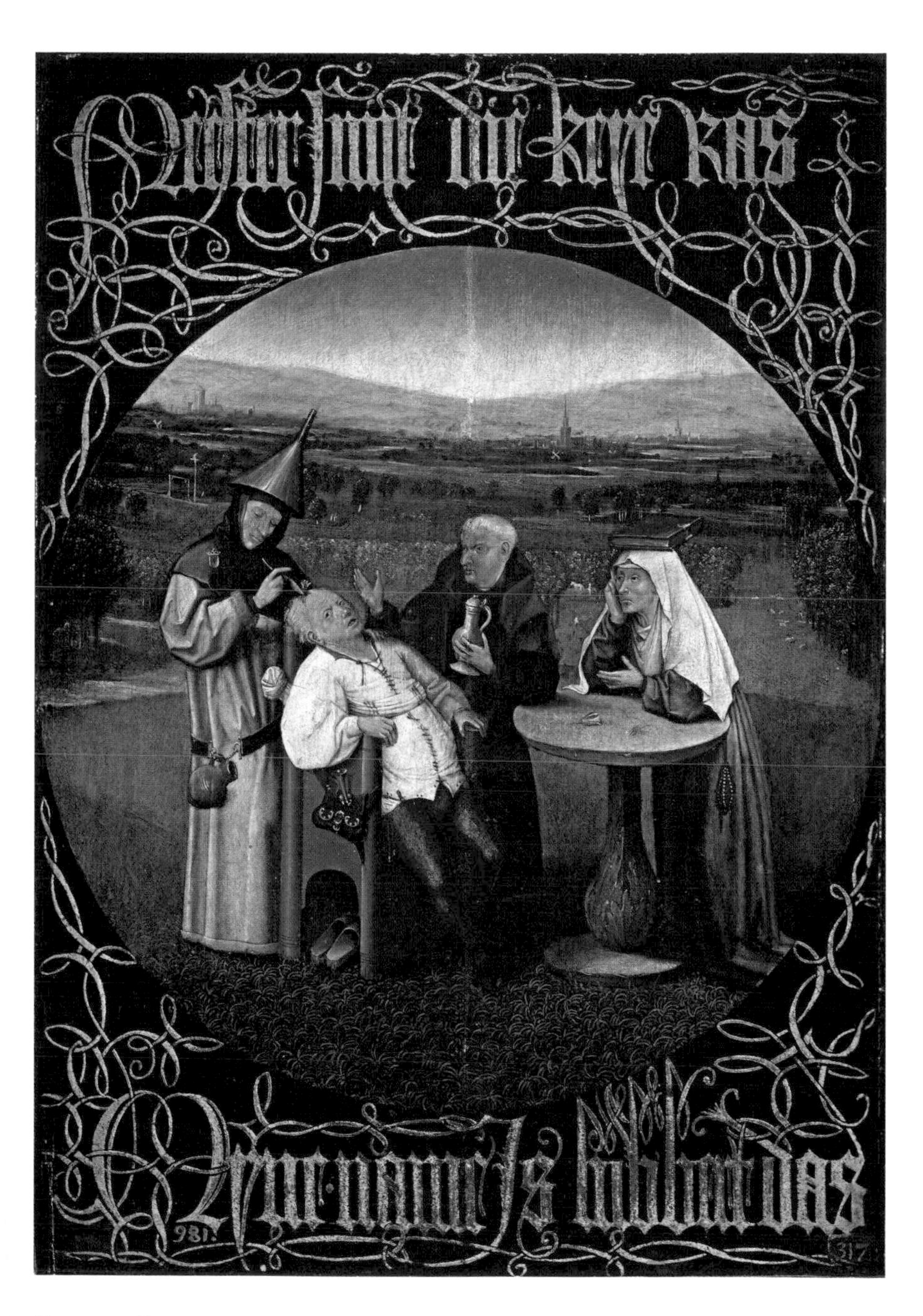

Иероним Босх

Извлечение камня глупости (Операция глупости). 1475–1480

Прадо, Мадрид

Иероним Босх
Святой Иероним за молитвой
ок. 1505
Музей изящных искусств, Гент

Маттиас Грюневальд. Христос, упавший под тяжестью креста. 1524
Государственный кунстхалле, Карлсруэ

Маттиас Грюневальд. Распятие. 1500–1508
Базельский художественный музей, Базель

Хуго ван дер Гус. Потрет мужчины. 1475. Метрополитен-музей, Нью-Йорк

дельно от них. Сидит печальный шут, в шутовском наряде, с маской шута в руке и со стаканом в другой. Смешная картинка, совершенно очевидно, что автор высмеивает распущенные нравы. Вот, к дереву еще подвешен кусок какой-то булки или хлеба, и он качается на веревке, а люди с двух сторон хотят его покусать, тоже смешно очень. Да и лица у них у всех смешные. Они не персоны, они персонажи балаганного действа, балаганного развлечения. Они все на одно лицо. Они вообще похожи на выструганных — все, все его герои, они все одинаковы. Такое ощущение, что они у него выходят с какого-то конвейера. Дяденьки и тетеньки, отличить их друг от друга очень сложно, только по одежде. Они такие выструганные деревянные человечки, полуфабрикаты людей. У них есть только признаки людей: голова, руки, глаза — антропологические признаки человеческие. Но никакого просветления, никакого просвета, никакого озарения, никакого интеллекта. Ничего того, что нидерландские художники так замечательно писали. Не говоря даже о Яне ван Эйке, но такие как Хуго ван дер Гус, картина которого «Алтарь Портинари» висит в зале рядом с «Весной» Боттичелли. Не говоря уже о Рогире ван дер Вейдене, о Дирке Баутсе — гениях XV века.

Как мы уже говорили, Босх родился в 1450 году, и эту дату нам надо запомнить, потому что 1450 год — год очень важный, дата рождения книгопечатания. Говорят, что Иоганн Гутенберг свой печатный станок запустил в 1450 году. Даты немного колеблются, но это не имеет значения. А для нас это дата, когда родился в Хертогенбосхе Ерун ван Акен.

Возвращаясь к картине «Корабль дураков»: эту веселую картинку в литературе о Иерониме Босхе, в любой литературе, исследующей символический художественный язык Нидерландов, называют народной, фольклорной. Есть такое мнение, что он апеллирует к фольклорным пословицам и поговоркам, к фольклорному опыту, то есть к народному, к матрешкам, к какой-то обезличенности, к массе человеческой, а не к личности, не к индивидуальности, как итальянцы. Очень часто задают себе вопрос: почему при всей гениальности Европа идет за Италией, а не идет за Нидерландами, когда у них есть Брейгель, есть такие замечательные художники? Почему Европа идет за Италией? Потому что Италия — страна гуманизма, Италия создала великую архитектуру, Италия создала великую современную музыку, Италия создала новую теорию гуманизма. Потому что Италия апеллировала к личности человека, к отдельности, к человеку деятельному, человеку духовно-творческому. Босх апеллирует не к нации, не к фольклорному народу, как это очень часто объясняют, а к обезличенной массе людей.

Вот в чем дело. Он открыл какого-то совершенно нового, своего героя. Как писал детский поэт, «друг на друга все похожи, все с хвостами на боку». Это да, фольклор, потому что как бы это народ. Но вместе с тем это и не народ, это масса человеческая, которая живет инстинктами, которая живет какой-то первичной жизнью. На этом следует остановиться. Вне зависимости от того, какую Босх пишет картину — «Корабль дураков», «Видение святого Иеронима», «Бегство в Египет», «Сад наслаждений» или «Воз сена»... Или даже то, что автору довелось увидеть в Венеции, в Палаццо дожей, его удивительную картину, это «прозрение», этот тоннель со светом в финале, в перспективе, где стоят две молитвенные фигуры... И все равно, и там на коленях стоят все те же самые два деревянных человечка. Он и она, Адам и Ева или мы с вами. У него был особый герой. И у него была совершенно особая атмосфера и драматургия действия. Причем у Иеронима Босха, как и у Брейгеля, есть некий контраст. Посмотрите на все его картины, вы увидите, что у него очень часто (например, в картине «Операция глупости») есть контраст между необыкновенно красивой природой, спокойной и прекрасной, как в «Блудном сыне», и жизнью, нашими деяниями, контраст между божьим творением и тварью, им сотворенной.

Как ни странно, художника, который больше бы резонировал в нас, чем Босх, назвать очень трудно. В чем он в нас резонирует? Где этот резонатор, в чем дело? Когда вы смотрите на картину «Корабль дураков», то вы можете ее рассказать. Последовательно рассказать. Вот какая-то субстанция, которую мы называем водой. Вот корабль. Вот какие-то люди, которые плавают. А чем все эти люди заняты? Они заняты только тем, что они развлекаются. Они выпивают и развлекаются, друг друга цапают за всякие места. Опять такие незатейливые солдатские развлечения. Все добывают себе какую-то еду, особенно когда еда уже дарована и надо просто залезть на мачту. Босх как бы обсуждает тему вот этих массовых потребностей, низовых потребностей. Наших с вами грехов, говоря высоким языком. Но что интересно: когда вы смотрите на его картины, то замечаете, что они действительно написаны мастерски. И правильно писали его современники — он может написать одним ударом, «а-ля прима». Если бесконечно увеличить, то изумляешься. Думаешь — интересно, а кто это написал? В какие времена?

С таким размахом кисти действительно никто не писал. Так просто, даже холст просвечивает негрунтованный. А посмотрите, какие он пишет натюрморты! В том же самом «Корабле дураков»: эти красные ягоды, которые лежат на тарелочке, — как это красиво, сочно, как это здорово все написано. Но только подлинный смысл действительно от нас ускользает. Мы через эту простую фабулу можем связать происходящее. Мы понимаем смысл того, что он нам предлагает. И для этого великой премудрости не надо. Но мы очень хорошо понимаем, когда смотрим и «Корабль дураков», и другие его картины, что за этим первичным смыслом перед нами поднимаются другие смыслы. Иероним Босх выступает как рассказчик. У него всегда настолько мелкие фигурки, их так много, они в таких сложных драматургических переплетениях друг с другом, в таких фантастических, странных, необычных, что ты невольно вступаешь на путь рассказа самому себе. Он повествователь. Он рассказчик. Он описатель. Только история, которую он рассказывает нам и повествует до всяких мелочей, она при ближайшем рассмотрении не совсем такая, какую ты представляешь себе ее изначально.

Если бы он был тем наивным фольклористом или, так сказать, осудителем беспечных и похотливых нравов, этот художник давно был бы забыт. Но за всеми его картинами, текстами (потому что это картины-тексты, а эти деревянные манекены, одетые так или сяк, это как буквы в каком-то тексте) стоит великая художественная рукописная книга. Картины-книги. Картины-тексты. Он очень любит принятые в северной школе закрывающиеся триптихи или диптихи. Итальянцы любят фреску. Они любят станковизм, у них стены. А в северной готике стен нет, там живопись обретает несколько другую форму, форму миниатюр. И эти триптихи очень приняты в церквях. Собственно говоря, Босх пишет церковные вещи. И когда мы вступаем на этот путь, мы понимаем, что вот эти фигуры — буквы текста, что эти рассказы — это какие-то тексты, и что в этих текстах есть очень глубокий смысл. Этот смысл стоит за простой фольклорностью. Этот народ — не народ, а, скажем так, всечеловеки. Это не народ в смысле «жители Брабанта». Это всечеловеки, то, что свойственно всечеловекам — и до, и вовремя, и после. Что же это?

О Иерониме Босхе у нас есть очень интересные сведения. Мы знаем, что Иероним Босх был не просто человек, житель Брабанта. Он сам знал это и тогда, да и современники его тоже, наверное, это знали. Он, во-первых, принадлежал, и это сейчас абсолютно несомненно, к некоему духовному сообществу — Братству святого свободного Духа. Он похоронен в Церкви Святого Духа, эта церковь, видимо, принадлежала этому братству. Часто говорят, что он принадлежал к так называемым адамитам. Но, сопоставляя то, что известно о нем, и то, что известно об адамитах (которые были гуситами, таборитами, богомилами), приходишь к выводу, что это не совсем то же самое. Он принадлежал именно к этому братству Святого Духа. Мы не должны забывать о том, что творилось в духовной жизни того времени, какая она была сложная и какая она была кровавая. Это была эпоха начала протестантизма, лютеранства, время Мартина Лютера. Это была эпоха усиления католичества, католической реакции. Огромное количество интеллигенции или великих художников, великих мастеров, были и не с теми и не с другими, а совершенно изолированы. Иероним Босх родился в 1450 году, а умер в 1516. Так кому он был прямым современником? Дюреру, Микеланджело, Леонардо... даже Боттичелли, потому что Боттичелли умер в 1510 году. Босх умер в 1516, а Рафаэль в 1520. Эти люди жили одновременно. У них были одни и те же заботы. Перед ними стояли одни и те же проблемы духовного выбора, они просто шли разными путями. Они выбирали разное. Но они никогда не были только художниками.

Художники эпохи Возрождения никогда не были только художниками. Они были философами, они были заряжены главными и основными проблемами времени. Вот Босх называет свою картину — «Корабль дураков». Он сам придумал такое название — «Корабль дураков»? Между прочим, в терминологии того времени кораблем называется церковь, храм, базилика, католическая церковь. В языке профессиональном, богословском, она — корабль. Потому что ею управляет в юдоли скорби и царстве зла тот, за кем мы должны идти. То есть мы — верующие на этом корабле. Но еще точнее, кораблем называется одна из частей церковного интерьера, храмового интерьера, где сидят молящиеся. Перекладина католического креста называется трансепт, или средняя часть, над которой возводится шпиль или купол. Финальная часть называется алтарем. Алтарь — огороженное место, где почиет дух святой. А вот трансепт — это очень важное место. Трансепт — это ничейная территория, место, где мы встречаемся с трансцедентальным духом, место мистического соединения человека с Богом. То место, где мы сидим, называется корабль. В стихах слово «корабль» тоже имеет определенный смысл. У Есенина — «когда вообще тот трюм был русским кабаком». И у Лермонтова корабль, и у Пушкина корабль, и Сталина мы называли — «кормчий наш и рулевой», подменив бога его именем. Это сквозная аллегория, метафора в общемировом культурном пространстве. Но в те времена, в середине XV века, корабль символизировал место сакральное, священное, которое должно направляться богом. И даже не богом, а творцом, создавшим мир.

Вот где смысл «Корабля дураков» — корабль-то стоит! Все, никуда корабль больше не движется. История остановилась. Корабль стоит, он пророс. И посмотрите, кто на корабле: монашки, монахини, миряне — все в куче. Они и не слушают этого голоса. В юдоли скорби и царстве зла им заботы мало. Они люди — человеки. Они гуляют и поют. Им и горя мало, и они не знают, что корабль остановился. Они дураки. А почему они дураки? Они дураки по одной только причине — они и хитрые, они и деловые. Посмотрите на картину: они перестали слышать что-то еще, им интересно только прожигание жизни. Им интересен только самый низовой уровень. Вспомним о Дюрере, о том, что он изображает все уровни познания. А это не есть уровень познания, тут вообще никакого уровня нет. Дюрер в своей «Меланхолии» даже не учитывает этот уровень. А этот уровень, между прочим, является тем уровнем, который исследует Босх. «Тот трюм был русским кабаком», он в трюм спускается. Не в ад, а в трюм... впрочем, может быть, и в ад. Есенин говорит: «Тот трюм был — русским кабаком. И я склонился над стаканом, чтоб, не страдая ни о ком, себя сгубить в угаре пьяном», — это отчаяние, путь в никуда. Сам ли Босх создал эту концепцию? Или за ним что-то стоит?

Вспомним, что он принадлежал к некоему сообществу, и эти сообщества в мире были всегда. Они оппозиционны и не оппозиционны. Они объединяются по какому-то общему принципу, по своим взглядам. Это не партия, это не компания. Это люди, которые ищут ответа на что-то. Есть датировка, начало развития этого движения относится к XII веку. Это не совсем адамиты, но не будем вдаваться в подробности. Год, в который родился Босх, это общество свободного духа считало началом апокалипсиса, потому что было изобретено книгопечатание. А у Иеронима Босха с этим дела обстоят очень сурово и строго. Если вы посмотрите картину «Операция глупости», то вы увидите, что стоит монашка, и у нее книга на голове. Теперь, после Лютера, каждый может писать то, что хочет. Происходит не создание истинных произведений, а просто, кто хочет, тот то и пишет, происходит какое-то оболванивание. И поэтому у людей книги не внутри, они не глотают их, растворяя их в себе, подобно тому, как Иоанн Богослов поглотил протянутую ему господом книгу. Она у них только на голове. У нас книга на голове. Мы внутрь ее не берем. Это лжемудрость, начинается эпоха лжемудрости. А общество Святого Духа определило три положения апокалипсиса, начало движения к финалу, начало движения к концу.

Необратимость истории о звере, разверзается пасть геенны. Человеческие пороки владеют человеком — почему? Первичный уровень во всем. И Босх определяет три причины гибели. Три причины апокалипсиса, которые он во всех своих картинах и изображает. И у него все картины вокруг этого крутятся. Жизнь есть корабль дураков, абракадабра, откуда каждый тщится утащить свою соломинку. Каковы же основные темы Босха? «Корабль дураков» точно фиксирует две из них, а все остальные картины тоже раскладываются на эти темы. Это прежде всего то, что мы называем галлюцинаторностью сознания: люди находятся в состоянии абсолютной галлюцинации, то есть у них выключен разум. Алкоголизм, пьянство лишает человека точного ориентира. Для Босха слишком сильное употребление вина не означает прямое понятие употребления вина. Для него галлюцинаторность сознания — умственное опьянение, несоображание. Для него выпивка — это признак галлюцинаций. Реальности люди, человеки не понимают. Они не ориентируются в реалиях. Они не ориентируются ни в прошлом, ни в будущем, ни в своем настоящем. Они живут галлюцинаторно. И эта галлюцинаторность сознания будет очень сильно развиваться в человеке. И вообще, Бог сотворил, а мы не сотворились. Потому что для сотворения нужны усилия, очень большие усилия. У Босха очень много химер: химера человека с насекомым, химера человека с животным и тому подобное, потому что люди недовоплотились. Мы недовоплощенное человечество, надо делать усилия, чтобы прорваться, чтобы побороть себя, чтобы преодолеть себя. Он никого не учит, он анализирует, он показывает.

В «Корабле дураков» корабль встал. Почему? А куда ему идти с такими галлюцинирующими пассажирами: сидим на корабле хорошо, выпиваем хорошо... хорошо сидим, закусываем, поем. И что самое замечательное — поем хором. Обратите внимание, как они самозабвенно поют. Выпивают и поют хором. На этой картине, как и на других картинах Босха, поражает масштаб, эта горечь, эта трагичность художника. Как они хором поют! Что может напомнить это пение хором? «Собачье сердце» Булгакова, где Швондер и весь этот ЖЭК пели хором. Вот они все были на этом уровне. Как это ни парадоксально, ни странно, но мир Булгакова, мир Шариковых — вот это уровень Босха. Эта их погоня за кошками и то, как они поют. Хором поют не только в «Собачьем сердце». У него очень здорово поют хором в «Мастере и Маргарите», когда их там пришлось всех вывозить, и они пели «Священный Байкал». В обеденный перерыв они поют хором — потому что делать больше нечего. А тут вроде хором поют, и это их объединяет. Нет вообще других способов объединения, кроме как за рюмкой или пением хором. Вот вам и «Корабль дураков». Корабль бросили, потому что поют хором и дуют водку. И еще лезут за жареным поросенком. Очень хорошо иметь готового жареного поросенка.

А что означает это знамя с луной? Мы не совсем закончили с темой апокалипсиса. Признак наступающего, необратимого апокалипсиса — это, прежде всего, галлюцинаторность сознания, потому что она включает в себя и такую вещь, как безумная, бесконечная и бессмысленная погоня. Этот воз сена, где каждый хочет соломинку ухватить, — это тоже галлюцинаторность сознания. Это полное невнимание к окружающему, все фокусы, манипуляции, которые он показывает. Но вернемся к этой интересной детали, к розовому стягу, который мы видим на дереве, и на котором изображена луна.

Очень большие специалисты по Босху утверждают, что у Босха есть еще один смысл в его всех картинах — это алхимическая и астрологическая транскрипция его вещей. Он был человеком, может быть, раньше всех понявшим, увидевшим причины трагического финала, причины шествия к трагическому финалу. Но у него еще был и отдельный астрологический, и алхимический смысл в каждой картине. Личность этого гениального человека для нас, конечно, вырисовывается плохо. Но апокалиптическая идея имеет очень большое значение для мировоззрения Иеронима Босха и для его картин.

И, в частности, картина «Корабль дураков» тоже связана с этим ужасом апокалипсиса.

И вот на знамени у него луна, а луна — признак слабоволия, слабости, медитативности. Луна — она для лунатиков, для слабовольных, для плохо ориентирующихся. В чем? В дневном сознании, логическом, конструктивном, позитивном. А над луной череп Адама Кадмона. Череп Адама Кадмона имеет большое значение. Само общество называлось «адамиты». И название картины «Сад наслаждений» само по себе — одна из тем, о которой говорили адамиты. У них и термин был такой — сад наслаждений, в том же апокалиптическом понимании. Итак, череп Адама Кадмона. Почему адамиты? Что это значит? Сотворение человека не получилось. Вот сотворение мира — получилось, а на день шестой Бог устал. А может быть, человек еще до сих пор сотворяется.

У Босха еще есть картины «Суд перед Пилатом», «Христос на суде перед Пилатом», «Несение креста» — то есть картины с изображением одного из главных героев эпохи Возрождения и Средних веков, сына божьего. Удивительная вещь! Сын божий у него не такой, как у итальянских художников эпохи Возрождения. Не такой, как у Микеланджело, и не такой, как у других. Он просто слабый человек. Но он — человек. Он отличается от этих масок. Он отличается от этих недолюдей. Это изображение печального и страдающего человека. Быть человеком — подвиг. Быть человеком очень трудно. Жить жизнью осознанной, целенаправленной, жить с болью человеческой — это очень-очень трудно. Это большой подвиг. Это крестный пусть. У Иеронима Босха этот герой совсем не тот, который предъявлен нам эпохой Возрождения или другими художниками. Хотя нидерландская школа очень часто именно так изображает Христа. Упомянутый уже Хуго ван дер Гус, например: в «Алтаре Портинари» слабая-слабая человеческая плоть, которая изображает младенца Христа, прямо на землю он положен, прямо на земле лежит, на каких-то холодных плитках. При взгляде на него пронзает жалость. Становится просто плохо, когда ты смотришь на это. Но ты понимаешь, что он хочет показать, что эта слабая плоть — вместилище могучего духа, необыкновенного духа. Поэтому дело не в том, какая у тебя плоть, а дело в том, что за дух ты вмещаешь в себе, какого духа вместилище ты есть. И это человек. А не тот, который «Сейчас в морду там дам!» или «Всех победю!» Вообще у них представление о героичности немного другое. Оно больше связано с понятием духовного подвига и духовного подвижничества. У них нет гармонического соединения физического и духовного, как у итальянцев. У них нет античного примера. Они скорее вырастают из позднего христианства.

Но вернемся к «Кораблю дураков». В этой одной маленькой картине вы можете увидеть и первичный слой Иеронима Босха, то есть некий рассказ. Всмотреться в эти лица, которые Булгаков описывает сидящими в ЖЭКе и поющими революционные песни. Это одни и те же типажи. Это шариковы, это товарищи Шарикова. Вот они перед вами, недовоплощенные. Вот от них и беды все, от тех, которые за кошками бегают. И им ничто. Они не аморальны, нет, они внеморальны. Они не понимают, что такое мораль. Они вне этого. Если ты аморален — ты специально против морали. А они вне морали. И, конечно, встанет на месте этот самый корабль, который плывет.

По луврской датировке эта картина написана в 1491 году. Был замечательный швейцарский писатель из Базеля Себастьян Брант. Портрет Себастьяна Бранта в технике рисунка сделал Альбрехт Дюрер. Это был очень известный человек. Как всякий художник Возрождения, он был и врачом, и писателем, и гуманистом. Четыре года спустя, в 1495 году, он пишет сатирическую поэму, которая называется «Корабль дураков». Написана ли она под влиянием картины Иеронима Босха? У Бранта главный герой — господин Пфенниг. Миром Босха правит галлюцинация человеческая. Источник всех человеческих пороков — галлюцинация, лжемудрость. Технический прогресс он тоже учитывал в качестве одного из направлений в сторону апокалипсиса. А у Бранта главный герой — господин Пфенниг. Пфенниг — это твердая валюта тогдашнего немецкого северного мира. Сеньор Пфенниг, господин Пфенниг правит всем. Не вот эта галлюцинаторность, которая гораздо более серьезно и емко определяет трагическое начало обездуховленности и внеморальности. Это действительно очень губительно. Но у Бранта все решает господин Пфенниг. Современны ли оба этих художника? Господин Брант, господин Босх? Корабль врос, он не двигается никуда. Все слушают уже не голос высшего разума, мирового разума, а голос господина

Альбрехт Дюрер. Портрет мужчины (Себастьян Брант). Ок. 1520

Пфеннига. И он показывает все картины, следующие в обществе с господином Пфеннигом. Это необыкновенно современные художники.

В 1516 году Босх умирает, а в 1511 году выходит знаменитейший сатирический бестселлер (правда, «Корабль дураков» Себастьяна Бранта тоже был бестселлером) знаменитого в Европе человека, который назывался Эразмом Роттердамским, и который находился в центре всех страстей и Реформации. Он один из немногих людей, которые, вовсе не будучи реакционером, а придерживались антилютеровской позиции. Он написал книгу, которую, конечно, все хорошо знают, гораздо более широко, нежели сатирический роман в стихах Себастьяна Брандта. Книга называется «Похвала глупости». Что они переписывали друг у друга, заимствовали друг у друга, как они друг от друга зависели — ответить на этот вопрос трудно. Видел ли Себастьян Брант картину Иеронима Босха «Корабль дураков»? Наверное, не видел. Просто это общекультурная метафора. Каждое время имеет такие сквозные общекультурные метафоры. Очевидно, эти люди были единомышленниками, а может быть, принадлежали к одному и тому же обществу Святого Духа. Но не парадоксально ли, что свой апокалипсис пишет Микеланджело в том же самом помещении Сикстинской капеллы, где когда-то он писал миросотворение, величайший акт творения. Он пишет и акт финала, на торцевой стене — Страшный суд, где создатель посылает жестом в тартары все, что он сотворил. Это Микеланджело. Этот финал, апокалипсис, пишет и Леонардо да Винчи, только как прозу. И, конечно, апокалипсис — важная тема для Альбрехта Дюрера.

Нет оснований предполагать, что эти люди принадлежали одному и тому же кругу, но можно уверенно сказать, что такая критическая историческая концепция в это время занимала очень большое место в культуре. И, вне всякого сомнения, центральнейшее место в этом движении людей, уловивших трагическую интонацию времени, занимал Иероним Босх, который выразил ее в самых невероятных, ни на кого не похожих образах.

Благополучный художник Ганс Гольбейн просто сказал: «Чума на оба ваших дома!» — и вообще бросил свою Германию и отправился в Англию к Генриху VIII, писал портреты в Англии, потому что там не было таких портретистов. Он создал одну из самых потрясающих, какие мы только знаем, ксилографических, то есть необходимых для тиражирования и распространения, серий, которая называлась «Пляски смерти». Пляски смерти тоже писали все, время было заряжено этим. Были ли они вместе, в одном обществе или в одной группе, или нет, мы этого не знаем. Очень может быть, что и были. А может быть, и не были. Известно только, как боялся Микеланджело инквизиционной слежки за собой, потому что инквизиция во времена Реформации уже выпускала свои щупальца из Испании.

Но вернемся к Иерониму Босху, личность которого была неприкосновенна. Да, этот человек сыграл в культурном сознании европейского мира невероятно большую роль, очень глубокую. Он совсем иначе определил дисбаланс, который существует в природе вещей, создал свои образы, создал свой стиль, создал свою живопись. И сказал очень громко важные слова — это называется послание. Одно из самых важных для нас посланий.

В 1931 году американская писательница Кэтрин Энн Портер ехала на пароходе, и у нее родился замысел романа «Корабль дураков». В 1965 году этот роман был экранизирован Стэнли Крамером. Это один из самых удивительных европейских фильмов 60-х годов, где играл ансамбль гениальных киноактеров: Оскар Вернер, Симона Синьоре, последнюю свою роль сыграла Вивьен Ли. И там была роль авторского голоса, который есть в Иерониме Босхе, который у него всегда присутствует внутри. А может быть, он в картине «Корабль дураков» есть шут, отвернувшийся от всего, печальный шут, который сидит одинокий, потому что шут — урод. Шут — юродивый. Шут вне общества. Шут должен предупреждать о своем приближении звоном своих бубенцов. Но шутов всегда держали при себе короли. Почему? Потому что только дурачок, или урод, или юродивый может сказать тебе правду. А тебе она очень нужна. Поэтому держали юродивых или шутов, или карликов — они говорили правду. Шут в «Корабле дураков» играет роль вот такого в этом мире живущего, печально отвернувшегося и ничего не могущего сделать персонажа.

Роль этого шута, человека-карлика, играет в фильме Стэнли Крамера человек маленького роста. Он даже не лилипут, он просто странный, маленький очень человек с изумительным лицом, с веселыми, умными и очень ироничными глазами. И тексты, которые он говорит, он говорит замечательно: он опирается на перила корабля и рассказывает как бы от себя. Или это авторский голос о том, что происходит на корабле. А смысл у этого корабля дураков, который был в экранизации Энн Портер, очень глубокий. Это смысл точно такой же, как у Иеронима Босха. Там связь с Иеронимом Босхом прослеживается очень интересно. Там даже есть герои, которых не имеет Иероним Босх, потому что все-таки это 1960-е годы XX века. Но что интересует Стэнли Крамера в этом фильме точно так же, как интересовало Энн Поттер? Очень просто — корни происхождения фашизма. Ни больше, ни меньше. Это пение хором. Это галлюцинаторное сознание людей. И этот фильм — «Корабль дураков», который так и назван, он через Иеронима Босха расцветает цветком Стэнли Крамера, углубляя себя. Тот же самый корабль. Когда теоретик сюрреализма Андре Бретон первый выпустил Манифест сюрреализма в 1924 году, в XX веке он первый называет имя Иеронима Босха как предшественника сюрреализма. Так и сказано, что сюрреализм считает Иеронима Босха своим предтечей, своим предшественником. Потому что мир его выворачивает наизнанку сознание. Он являет нам фантомы-кошмары подсознания, кошмары бессознательного, предъявляет нам абсолютно все формы наших инстинктов, только воплощенные в образах, в реальности, в предмете, в аллегории.

Также Босх был назван основоположником такого направления в искусстве и литературе, как абсурд. XX век признал его великим своим пророком и предтечей, этого забытого эпохой Возрождения мастера, который предупреждал об опасности. Они даже писали послания папам, известно, что есть семь посланий папам с предупреждением об опасности. Но ведь никто никогда не слушает. Мало того, что никто никогда не слушает, очень быстро и забывают. Его забыли. Тех, кто жужжит над ухом противно, помнить не надо, потому что внутренний комфорт — превыше всего. А Иероним Босх, конечно, явление в искусстве, большой художник, мастер кисти, создатель уникального языка, великая загадка, великая тайна. Но Иероним Босх как автор послания перед нами предстает еще не полностью раскрытым, до сих пор его не дешифровали.

И последнее, о чем следует сказать. Готовится справочник, посвященный работам Босха. К примеру, какое количество растений им написано на всех его картинах. Какое количество предметов изображено им, что входит в этот предметный мир. Вот, например, «Корабль дураков»: один и тот же кувшин — в каких разнообразных позициях этот кувшин нам предъявлен. И каждый раз он имеет свой смысл. Перевернутый кувшин — один смысл, лежащий кувшин — другой смысл. Пустой кувшин. А воронки на голове? Воронки, через которые цедили масло и вино, он надевает всем на головы. Это символ пустоты. Воронка — это пустота. Через воронку все проскакивает. Эти ложки, которыми они все загребают, туфли и язык обуви — все эти символы и аллегории. Количество кухонной утвари, бытовой утвари, технических приспособлений, одежды, знаков... Сколько сортов и пород деревьев он изобразил. Вот «Сад наслаждений», левая створка, где сотворение человека — там они стоят под каучуковым деревом. Но Босх изображает еще вьюнок, который на этом каучуковом дереве. А животные? Ведь в той же самой створке Адама и Евы наверху динозавры. Еще кабаны, белые медведи, верблюды. Сколько пород лошадей!

Есть три художника, по которым можно судить об уровне образования людей того времени, о том, что они знали: это Леонардо, это Дюрер и это Иероним Босх. По ним понятно, что знали люди того времени о мире, о земном шаре. И буддизм у него есть, и жители черного континента — все можно найти. Это художники, которые составляют свое послание. Они это послание отправляют, независимо от того, можем мы его в бутылке найти и прочитать или нет. Но никогда оно не может быть не основательным. Оно всегда должно иметь в себе некий шампур, на который все нанизывается — главную идею и очень большое количество доказательств, которые заключаются в самопознании и миропознании.

Меланхолия Дюрера

Альбрехт Дюрер — немецкий художник эпохи Возрождения, чье имя равно имени Леонардо да Винчи по своей значительности, чье имя равно слову «гениальность», воплощение абсолютной человеческой гениальности, чье имя знают все, даже те, кто очень мало интересуется искусством.

Альбрехт Дюрер родился в городе Нюрнберге в 1471 году, и до сих пор на торговой площади в Нюрнберге стоит дом Альбрехта Дюрера, и сохранена вся обстановка этого дома — все-все, что касается образа и личности этого человека, художника, ученого, очень таинственного, до сих пор не до конца нами и миром понятого. И до сих пор нет ни одной монографии, которая приоткрыла бы нам тайну, а впрочем, может быть, тайна гениальности и должна оставаться тайной.

Современники всерьез считали Дюрера доктором Фаустусом. Они называли его «мастер Дюрер», но и вслух, и шепотом очень часто сопрягали его имя с образом великого ученого и мага доктора Фаустуса, легенды о котором были очень распространены в Европе, особенно на его родине, в Германии.

Мы не можем рассказать сегодня о том, какими научными исследованиями он занимался, каким он был врачом, как сам себе он поставил диагноз в смертельной своей болезни. Мы не можем рассказать, как он занимался оптикой, астрономией, биологией, анатомией. Собственно говоря, он и Леонардо да Винчи шли всегда параллельно в своих интересах.

Время это было очень необычное, напряженное до бесконечности, вовсе не спокойное, чреватое социальными взрывами, началом Реформации в Германии. В неспокойное время жили эти люди, и жизнь их не была спокойной. И очень трудно сказать о том, как стимулировала раскаленная атмосфера Европы жизнь и энергетику этих людей.

Остановимся на одном произведении Дюрера, которое чаще всего сопрягается с его именем, как «Джоконда» с именем Леонардо. Остановимся на

Альбрехт Дюрер. Меланхолия. 1514. Гравюрный кабине, Берлин

одной его гравюре, которая называется «Меланхолия» и которая очень часто репродуцируется, мы ее зрительно, во всяком случае, знаем.

В технике, которая называется «резцовые гравюры на меди», Альбрехт Дюрер выполнил четыре работы. Он выполнил их все последовательно, примерно в одно и то же время. В 1513 году — «Рыцарь, дьявол и смерть». Когда их показывают, почему-то считается, что «Рыцарь, дьявол и смерть» более поздняя, хотя это самая ранняя его резцовая гравюра. Он выполнил гравюру «Блаженный Иероним» и гравюру «Меланхолия», о которой пойдет речь.

Почему именно «Меланхолия» из этих четырех гравюр? «Носорог» — это замечательный космический образ, но это техническая гравюра. Плавинский говорит, это структурный символизм. Вообще, по отношению к Дюреру это правильно. Это современный термин, но это очень правильно: он весь структурален и символичен. В качестве главной темы эта гравюра не годится. «Рыцарь, дьявол и смерть» — эту гравюру никто не знает. Мы видим только техническое ее содержание, а ее глубинное, духовное содержание может быть как очень простым, так и недосягаемо сложным. Потому что там еще есть образ собаки, лошади. Это вообще астрологическое сочетание. Там много аспектов, которых мы не понимаем. А «Блаженный Иероним» — гравюра биографическая, тоже техническая и бытовая.

Что касается «Меланхолии», то это не просто гравюра, которая может быть одной из высших точек формирования особого дюреровского стиля: сочетание колоссального опыта, труда, немыслимых технических вещей, открытий, которых мы до конца даже не можем назвать. Но, конечно, самое главное — это рассказ, очень многогранный: он и о том, что такое человеческая гениальность, что такое аспекты человеческой гениальности, безграничность и самим человеком поставленные ограничения. И точность. Никакой приблизительности. Точность, аргументированность и опыт.

Но прежде всего надо коснуться совсем необычного вопроса. Это вопрос не о графике Дюрера и не о содержании его гравюры «Меланхолия», а о технике. Самое интересное — это техника мастерства. Когда рассматриваешь его гравюры, резцовые гравюры на меди, об одной из которых пойдет речь, или резцовые гравюры на твердых породах дерева, как его цикл «Апокалипсис», прежде всего, удивляет невероятное техническое совершенство Дюрера. Уже сама по себе техника исполнения этих работ является фактом абсолютно беспрецедентным. В этой технике уже давным-давно никто не работает. Она, можно сказать, ушла вместе с ним.

Техника резцовой гравюры на меди уникальна, очень сложна, трудоемка и невероятна по своим художественно-техническим параметрам. Это техника, которая практически была создана самим Дюрером. Может быть, единственный человек, который этой техникой владеет сам и который очень хорошо знает природу этой техники, это наш современник, замечательный художник Дмитрий Плавинский. Художник, которого никто не может оценить сейчас, это мы потом будем говорить, что он был великий мастер, он ученик Дюрера, он изучил его. Плавинский известен огромным количеством картин. То, что мы его не знаем, не значит, что он не знаменит, он просто не занимается своей знаменитостью. Он ни в чем не участвует. Он делает работы и все. Но в среде художников он очень известен. У него много выставок, он долго жил и работал в Америке.

Плавинский сделал копию с дюреровской гравюры «Носорог» и раскрыл суть этой техники. Сводится она к тому, что человек берет в руки специальный резец и кладет правую руку на специальную подушку, которая для этого шьется. И дальше он не резцом водит по медной доске, а доску поворачивает под резцом. То есть это обратный процесс. И когда рассматриваешь близко эти гравюры, такого рода техническое совершенство кажется невероятным. Откуда взялась эта техника, водить доской на подушке под этим резцом? Плавинский рассказал, что, когда Дюрер был мальчиком (а он родился в очень богатой бюргерской семье), его отдали учиться ювелирному мастерству. Само собой, к лучшему ювелиру. И этот ювелир работал этими резцами. Поэтому первые навыки работы по металлу он получил, обучаясь у ювелира. Дюрер, как гениальный человек, осмыслил ювелирные методы и перевел их в язык другой формы.

Он брал в руки резец, руку клал на специальную подушку, для того чтобы ее можно было держать долго, а медную доску двигал под рукой. Не резцом, как при рисунке, водил по доске, а двигал доску под рукой. Если вы внимательно посмотрите на четыре гравюры на меди, то вы не сможете поверить своим глазам, что это может быть так сделано. Посмотрите, какое количество линий. Плавинский копию с «Носорога» делал как офорт, а не как резную гравюру. Резная гравюра еще была на дереве, но резная гравюра на дереве более распространена, а гравюра на меди с травлением пришла с Дюрером и ушла с Дюрером. Она практически нерукотворная. Если бы он ничего не сделал, а оставил только эти четыре гравюры, их было бы вполне достаточно для того, чтобы сказать, как говорят итальянцы: этот художник экстраординарен, он мастер.

Каким надо быть художником, каким надо быть инженером, какое надо иметь воображение, чтобы ювелирную технику перевести в уникальную технику художественной гравюры!

Начинаем мы с техники только потому, что мы очень часто говорим о содержании картин, мы говорим о рассказе, который нам предлагает художник в своей картине, и забываем о том, что такое техника письма. Сейчас художественная жизнь в этом отношении очень развращена. И очень часто мы произведением искусства считаем две, три или четыре сбитых вместе доски и можем назвать их «Полет в космос» или как угодно еще. Но на самом деле в основе гениальности, в основе великих произведений искусства лежит всегда очень сложная, неподражаемая, неповторимая техника, потому что именно она является тем языком, на котором говорит художник. И если этой техники нет, то задача, которую перед собой ставит художник, оказывается невыполнимой.

Вот эта резцовая гравюра на меди уникальна. В этой технике выполнены четыре графических бессмертных листа. Именно техника, которой пользовался Дюрер, лежит в основе чуда этих вещей. И чем больше вы их рассматриваете, тем больше удивляетесь тому, как же это сделано. Да, доктор Фаустус.

Последняя из этих четырех гравюр называется «Носорог». Известно, что носорога привезли из Индии. Он как-то был подарен португальскому королю Эммануилу. Но вообще Дюрер видел его в зоопарке, и сделал в зоопарке набросок с носорога. Этот носорог привлекал его внимание. Он написал поверх гравюры целое сообщение, целое свое наблюдение о носороге.

Носорог — очень страшное животное, потому что его очень боятся слоны. Носорог со своим рогом подлезает под слона и вспарывает ему живот. И вместе с тем, при такой агрессивности, при такой силе, пишет Дюрер, носорог очень быстро бегает и необыкновенно нежен. Он очень нежное животное. С чего Дюрер взял, что носорог — нежное животное, непонятно. Но вспоминается одна история, которую Феллини рассказал в своем фильме «Корабль плывет». Там был носорог, который так бесконечно тосковал о потере своей пассии, своей любимой, что просто умер от любви. По всей вероятности, действительно, носороги очень нежные существа.

Дюрер нарисовал этого носорога, и когда мы смотрим на гравюру носорога, то мы удивляемся не только тому, как он его нарисовал, как точно запечатлел все анатомические детали, расположение щитков... Но как он перевел его в образ! Какой необыкновенный образ стоит за его носорогом. Он кажется космическим, странным существом.

И вот когда Плавинский занимался техникой этой гравюры, он сделал копию носорога. И эта копия точно повторяет гравюру Дюрера. И надпись такая же точно: написано «Носорог» и монограмма «А. Дюрер». То есть это буквальная авторская копия, только Плавинский предал ему еще более явные черты космичности, он стоит как весь мир, как целый космос, у него на спине солнце и луна, у него глобусами вздымаются бока, у него на роге затухшие вулканы. Это космическое чудовище, космический образ, который вбирает в себя всю геологическую, антропологическую, географическую, художественную историю мира.

Вот так современный художник перекликается с художником эпохи Возрождения. И это не случайно. Дюрер имеет очень большое влияние на искусства самые разные: и на литературу, и на кинематограф, и на изобразительное искусство всех времен. Такова его суть, суть гения. Это и есть, наверное, бессмертие, преодоление времени, о чем сам Дюрер, по всей вероятности, очень много думал.

Гравюра «Меланхолия» сделана им после «Блаженного Иеронима». Если год «Носорога» — 1515, то ее год — 1514. Остановимся на этой удивительной гравюре. Очень трудно до конца расшифровать смысл и внутреннее содержание, закадровое содержание этой гравюры. Но если мы будем рассматривать ее внимательно, то увидим, что эта гравюра по горизонтали делится на три пояса. И каждый пояс представляет собой ступени познания. Это своего рода энциклопедия знаний

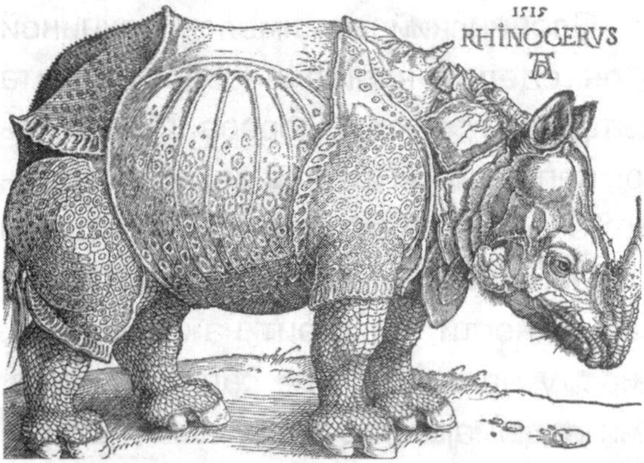

Альбрехт Дюрер. Носорог. 1515. Британский музей, Лондон

и представлений о мире людей того времени. Но только людей, конечно же, владеющих всей совокупностью, всей суммой знаний. Такой универсальный энциклопедизм. Этот универсальный энциклопедизм был необыкновенно интересным явлением рубежа XV—XVI веков. Тогда появлялись картины, универсально, энциклопедически описывающие весь мир, все предметы, все растения и всех животных. Например, картины раннего Босха, хотя, может быть, основное содержание у него другое, но ему нужны эти предметы.

Вообще гравюра «Меланхолия» связана, конечно, в основном с этим образом познания. Потому что познание для Дюрера, как для доктора Фаустуса, есть нечто главное, нечто основное. Да, он был художником. Но он в равной мере был и алхимиком, он в равной мере был и астрономом, он в равной мере был и анатомом, и в равной мере был и человеком, занимавшимся очень современной для нас с вами темой — темой человеческого познания и сознания. И он, и Леонардо занимались вопросом сознания. Они были философами, для которых сознание человека было одним из основных предметов их интереса, их исследований.

Но вернемся к «Меланхолии». Дюрер в этой гравюре определяет три уровня познания: нижний, средний и верхний. Нижний уровень познания очень интересный. Если вы внимательно будете всматриваться в предметы, которые изображены в нижнем ярусе, то вы увидите там очень интересный набор. Там лежат предметы ремесла: рубанки, струганки, всякие ремесленные инструменты. Угольник, имеющий разные смыслы. Этот угольник встречается и как предмет, который необходим для измерения угла в архитектуре, он встречается и в других символических системах. А самый интересный предмет в этом нижнем ярусе — это шар.

Очень интересно, что там именно шар. Почему шар лежит в самом нижнем ряду? Это очень-очень определенный шар. Здесь вспоминается одна замечательная история. Во всей истории жизнеописания великих художников Джорджо Вазари только одно имя неитальянское — это имя Дюрера. Это очень интересно: в число итальянских художников, то есть великих художников, которыми действительно были итальянцы, Вазари включает только имя Дюрера. Так вот, о шаре Джорджо Вазари пишет, что однажды папский нунций пришел к итальянскому художнику пригласить его в Ватикан для работы. У него состоялся какой-то деловой разговор с Джотто, и он сказал: «А нельзя ли прислать что-нибудь такое, чтобы папа убедился в том, что ты замечательный художник, как о тебе говорят?» Художник ответил: «Сейчас». Встал

Ян ван Эйк
Портрет четы Арнольфини, 1434
Национальная галерея, Лондон

Ян ван Эйк
Мадонна канцлера Ролена
1435
Лувр, Париж

Питер Брейгель Старший
Двенадцать месяцев. Охотники на снегу. 1565
Музей истории искусств, Вена

Питер Брейгель Старший. Двенадцать месяцев. Сенокос
1565. Дворец Лобковица в Пражском Граде, Прага

Питер Брейгель Старший. Двенадцать месяцев. Сумрачный день
1565. Музей истории искусств, Вена

Питер Брейгель Старший. Двенадцать месяцев. Возвращение стада
1565. Музей истории искусств, Вена

Питер Брейгель Старший. Двенадцать месяцев. Жатва
1565. Музей Метрополитен, Нью-Йорк

Питер Брейгель Старший.
Фламандские пословицы и поговорки
1559. Берлинская картинная галерея

Питер Брейгель Старший
Игры детей. 1559–1560
Музей истории искусств, Вена

Питер Брейгель Старший.
Страна лентяев. 1567
Старая пинакотека, Мюнхен

Альбрехт Дюрер
Рыцарь, смерть и дьявол. 1513
Кабинет гравюр и рисунков,
Страсбург

Альбрехт Дюрер. Святой Иероним в келье. 1514
Британский музей, Лондон

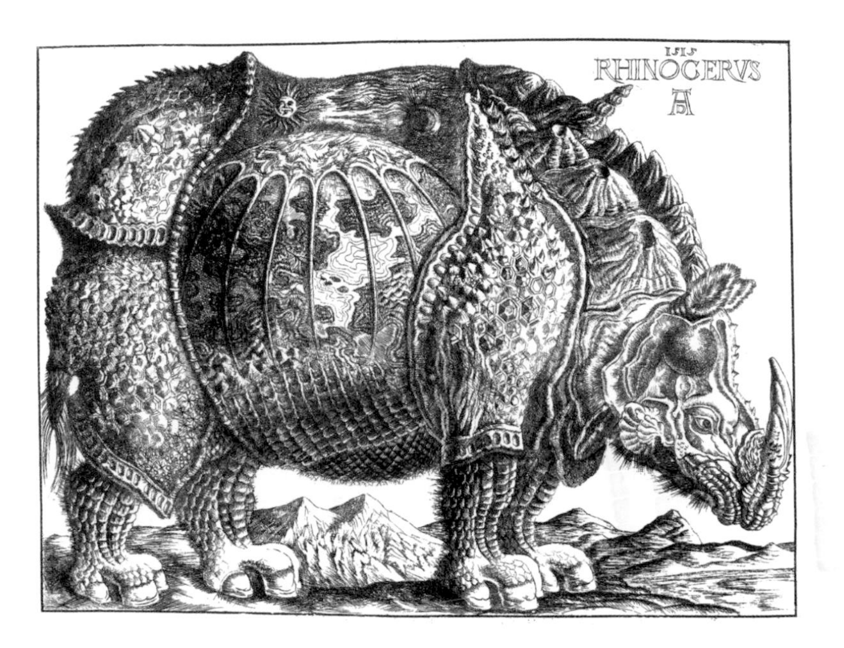

Дмитрий Плавинский. Носорог. 1986

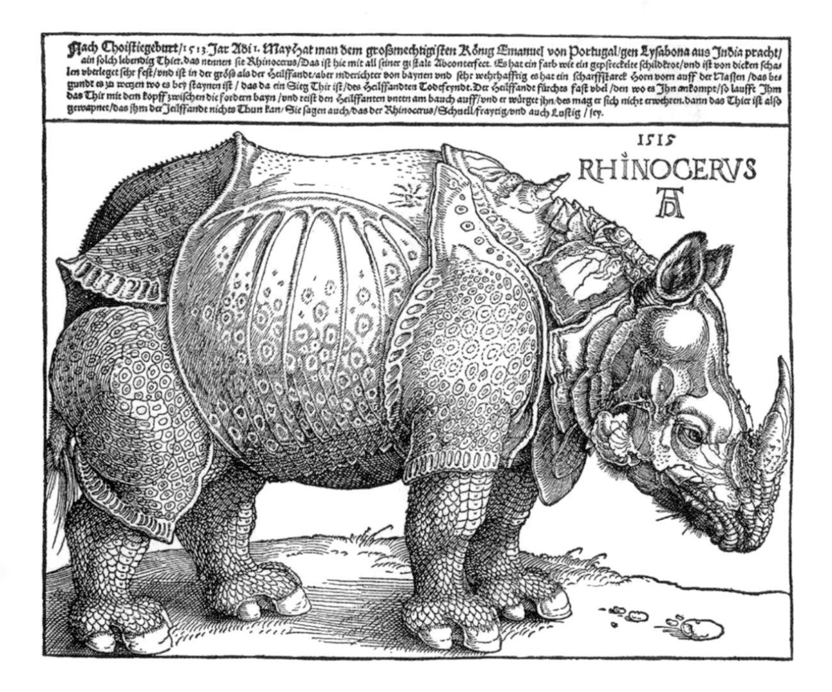

Альбрехт Дюрер. Носорог. 1515. Британский музей, Лондон

Альбрехт Дюрер. Автопортрет. 1498
Музей Прадо, Мадрид

Альбрехт Дюрер
Автопортрет
1521
Бременский
кунстхалле, Бремен

Альбрехт Дюрер
Автопортрет в 13 лет
1484
Галерея Альбертина, Вена

Альбрехт Дюрер. Четыре апостола. 1526
Старая пинакотека, Мюнхен

к столу, очень плотно прижал левую руку к бедру, взял лист бумаги и очень точно, без всякого циркуля, нарисовал круг и дал папскому нунцию. Тот сказал: «Что? И это все?» Художник ответил: «Если твой папа не такой болван, как ты, то он все поймет». Это идеально выточенный шар.

Чем был этот идеально выточенный шар? Он был признаком очень высокого мастерства. В эпоху Дюрера многое значило обучение, познание тайн ремесла, технические навыки, умение делать руками точные инструменты, точные предметы, умение делать анатомию, знаком которого является животное, свернувшееся в левом углу нижнего ряда гравюры. Умение делать табуретку или строить дом требовало очень высокого уровня знаний. И в том случае, когда ученик (а это были Ваньки Жуковы, которых отдавали в ремесленное обучение к мастерам) мог делать такой шар, он мог переходить на следующий этап обучения. То есть он вообще-то мог дальше не учиться. Он уже был человеком, пригодным к любому мастерству. Он должен был много уметь делать. Поэтому, когда мы думаем о том, что такое труд машины, что такое труд ручной, когда мы думаем, на каком уровне была культура в XIII, XIV, XV веках, как строили они соборы, как складывали они дома, как шили они одежду, как делали они пуговицы, надо помнить, что в основе всего лежало кропотливое техническое обучение. Они ремесло ставили подножьем искусству. Именно ремесло.

А вот второй уровень познания, проходящий по коленям фигуры, которую мы видим справа, он гораздо более интересный, и он совершенно другой. На втором уровне познания мы видим самые разнообразные предметы, которые, казалось бы, не имеют никакой связи один с другим: какой-то молоток лежит геологический, сидит младенец-ангел и читает книгу, а на чем сидит этот младенец-ангел? Если внимательно присмотреться, то мы видим, что сидит он на покрытом ковром жернове, который делает великий помол для хлеба. Это растирание зерна. Это очень интересный предмет, потому что он означает вечное движение и возвращение в мир движения, великий перемол и вновь возвращение. А он сидит и читает книгу.

По всей вероятности, этот мальчик с крылышками, читающий книгу, — это область неремесленного. Это область надремесленного. Это область интеллектуального познания. Может быть, это есть образ или символ, потому что все-таки все фигуры, которые мы видим в «Меланхолии», с одной стороны, очень точные, предметные и узнаваемые, а с другой стороны — это всегда символы. Они имеют множественное значение. Каждый символ всегда имеет множественное значение, углубленное, продленное. Наверное, это область человеческих чувств, которые не входят в изучение. Это не делание, это другая область познания.

Между прочим, есть очень любопытная деталь — фигура, которая сидит справа и определяет собой очень многое в этой гравюре. У пояса платья был пристегнут кошелек. Мы видим на гравюре «Меланхолия», что этот кошелек валяется у ног. Он не пристегнут к поясу, а валяется у ног.

Потому что деньги — адекватная плата. Оплата труда может быть только за конкретно сделанный труд. Вы сделали табуретку — вам конкретно эту табуретку отплатили. Вы лечите человека, вам дают деньги как врачу. Вы делаете какой-то предмет, делаете дверь, вам дают деньги за изготовление двери. Адекватная оплата полагается только на первом уровне познания. Когда вы берете в свои руки материал и изготавливаете из него своими руками предмет, он имеет цену. А уже интеллектуальный труд... Как его оплатить? Кошелек лежит там, внизу. Это совершенно другой уровень познания. Он не имеет эквивалентной оплаты. Он, может, вообще ее не имеет.

Но главное место в этом втором ряду занимает большой кристалл. Вообще, когда вы смотрите на гравюру «Меланхолия», вы этот кристалл замечаете сразу, выделяете его среди множества предметов, не связанных между собой очевидно. Как будто каждый предмет существует сам по себе, он замкнут сам на себе, он сам себя выражает. Вы видите этот кристалл. Никто не мог объяснить, что же это за кристалл, что символизирует собой этот кристалл. Потом путем очень длительного изучения было высказано предположение, и другого объяснения, конечно, нет, что этот кристалл имеет образ того, что является целью любого алхимика: это магический кристалл.

Сейчас надо рассказать небольшую историю. В Средние века (а эпоха, в которую жил Дюрер, в той же мере является эпохой Средних веков, как и Возрождением) все-таки меняется сознание, меняются культурные традиции, резко меняется интеллектуальная, социальная жизнь. Дюрер жил в ужасную эпоху. Он был современником такого явления, как церковный раскол. Он был современником такого явления, как лютеранство. Он был современником Мартина Лютера. Надо сразу сказать, что Дюрер — один из очень немногих людей, которые были противниками Мартина Лютера. Он был противником очевидным, очень явным. Все, что было связано с Лютером, было для него неприемлемо. И на знаменитой его поздней картине «Четыре апостола», которую он подарил городу Нюрнбергу и которая хранится в мюнхенской библиотеке, на обратной стороне написано: «Бойтесь лжепророков».

Лютер был профессором богословия, священником. Он однажды поехал в Силезию, жил в Вормсе и пользовался покровительством саксонских герцогов. И увидал, в каком невежестве, в какой темноте, как плохо живут силезские ткачи, крестьяне, вообще в провинции, и слова божьего они не знают. И он решил перевести Библию на простой немецкий язык с латыни. Библия была на еврейском, греческом и латинском. Он делает Библию для невежественных, для неверующих, для простого народа. Библию для всех. Он берет сакральный текст и излагает его так, как ему хочется. За этим стоит одно очень интересное обстоятельство. В 1450 году, когда было изобретено книгопечатание, оно очень большой частью общества было воспринято просто как стихийное бедствие. Потому что наряду с великими благами, которые приносило книгопечатание, была очень большая опасность — каждый может напечатать, что хочет, любым тиражом. Это вызвало в обществе колоссальный раскол, очень большую духовную драму, о которой мы не помним. Это было чуть ли не главное событие эпохи Возрождения. Платона, Аристотеля, незнакомых проповедников, женщин, ноты начали печатать в потрясающих количествах. Начался просто типографский бум. Типографий было даже больше, чем сейчас. Мир начал захлебываться в этом. А между прочим, Европа была грамотная, в отличие от России. В Европе по старой традиции церковноприходские школы были всегда, и все изучали грамматику, математику и Библию.

Лютер пошел дальше. Он сказал, что не по средствам и не нужно людям держать посредника между собой и богом. Главное, чтобы душа и помыслы были чистые. А та католическая церковь, которая продавала индульгенции, которая тратила колоссальные деньги на роспись своих храмов, на картины, на еду, на посуду, — это отвратительно все. И представьте, какая часть Европы за ним пошла. Когда в Голландии началась революция, то это, с одной стороны, был протест против испанского владычества, но она имела не только политическую идеологию, но и духовную. И эта идеология была протестантская. А во Франции что сделалось? Они же себя чуть не истребили! Началось это в то же время, когда начался кальвинизм. А Кальвин — последователь Мартина Лютера. Раскололась французская церковь и все французское общество. В Варфоломеевскую ночь они просто сами себя истребили дотла. В 1524 году была развязана крестьянская война в Германии. И Дюрер дожил до начала этой войны.

Мартин Лютер — одна из величайших фигур в европейской культуре. Фигура, знаменующая собой кризис. Без фигуры Лютера, без протестантизма был бы невозможен целый ряд явлений, художественных и просветительских. Просвещение имеет корнями своими лютеранство. А католическое — это контрреформация. Католическая церковь — папская, она имеет большую религиозную иерархию, она требует огромного количества денег, она требует огромного количества служителей церкви. А зачем себя обременять этим балластом?

Нюрнберг, родина Дюрера, был городом протестантским. А сам он — нет, он был абсолютно против Лютера. Вообще, верхушка европейского гуманизма Мартина Лютера не принимала. Но Лютера очень поддерживали саксонские герцоги. Они давали ему приют, они его не выдали Ватикану, когда Ватикан вызывал его на ковер. Он его у себя держали. И был один величайший художник немецкого гуманизма, Лукас Кранах. Благодаря ему остались портреты Мартина Лютера, его жены, отца, дочерей. Все портреты остались благодаря кисти Лукаса Кранаха, который вроде бы был даже с ним в каком-то родстве.

Лютер по многим показаниям был Дюреру неприятелем. Конечно, одна из самых главных точек расхождения — это то, что лютеранство было иконоборческим. Оно игнорировало изображение, изобразительное искусство. Ничего не поделаешь,

Дюрер был художником. Иконоборчество лютеранства, отсутствие живописи в церквях было, конечно, несовместимо с его представлениями о культуре и о жизни художника. Но были и многие другие причины. И когда он умер, знаменитый человек, его друг Виллибальд Пиркгеймер писал, что в его ранней кончине (а умер он молодым человеком 56 лет) сыграло очень большую роль то, что он не принимал того, что делалось в его время: он не принимал Лютера, он очень страдал от ситуации в Германии и в мире.

Вернемся к этому магическому квадрату, от которого мы отвлеклись. Во времена Дюрера, позднего средневековья (знания еще были связаны всетаки со средневековыми знаниями), абсолютный ремесленник, законченный, завершенный — это был тот человек, который делал шар. И точно так же высшей степенью интеллектуализма абсолютно ученого человека обладал тот, кто знал теорему арабского ученого Авиценны (Ибн Сины) о сумме углов многоугольника, где ни один угол не равен другому. Вот этот кристалл, который показывает Дюрер во втором поясе познания, это и есть многоугольник, где ни один угол не равен другому. Это пластическое выражение теоремы Ибн Сины.

Дюрер не только знал эту теорему, которая была написана в математической комнате арабских эмиров в Гранаде (в Альгамбре есть математическая комната, где по стенам орнаментом написана теорема Ибн Сины). Дюрер эту теорему сделал не геометрией, а стереометрией, он перевел ее в фигуру. И эта фигура оказалась магическим кристаллом.

Более того, он делает предположение, по всей вероятности, что этот кристалл существует в природе, его можно добыть, рядом с этим кристаллом лежит молоток геолога — то есть он не алхимическим путем добывается, а естественным путем. Рядом стоит тигель алхимика, небольшой сосуд, где идет процесс трансмутации. То есть «Меланхолия», его резцовая гравюра, является собранием всего ремесленного, интеллектуального, духовного опыта эпохи.

Этот магический кристалл, образ переведенной теоремы Ибн Сины, этот мальчик с крылышками — может быть, амур, но, скорее всего, не амур: это душа, это вечно повторяющаяся история человеческих чувств. Вечно, во все времена одно и то же, читаем одну и ту же книгу, постигаем и не постигаем.

Ну и наконец, третий пояс — это нечто невероятное, потому что третий пояс начинается со второго. Мы уже во втором поясе видим с правой стороны очень большую башню. Она находится с правой стороны гравюры. Она уходит вверх, она обрезана, она никогда не кончается. К ней приставлена лестница, эта лестница тоже уходит в небо, тоже никогда не кончается. А на этой башне мы видим два замечательных предмета. Один предмет — это песочные часы, а второй — это магическая таблица Дюрера. По горизонтали, по вертикали в любом сочетании мы получаем число 32. Еще выше мы видим колокол, веревка от которого уходит за пределы гравюры.

Остановимся на этой башне. Это образ, это символ, это очень старинное представление о башне.

О ней очень много можно говорить. И о Вавилонской башне, и вообще о башне, которая никогда не может быть достроена, потому что она и является символом непознаваемости в познании. Она указывает на то, что есть вещи, которые познать можно — это первый ряд. Есть вещи, которые нужно познать ученому человеку, а есть вещи, которые непознаваемы. Познание бесконечно, оно безгранично.

На французских двурогих, двубашенных соборах западный портал всегда двубашенный. Это характерно именно для французской готики. Они всегда разные, разные и недостроенные. Кажется, что их строительство прекратилось на каком-то определенном уровне. Эти башни, колокольни, невозможно достроить, потому что познания безграничны. Вот эта башня и есть символ, образ безграничного познания. О каждом из этих символов мы можем рассказать самые удивительные истории, которые ведут к аналогии и библейской, и мифологической, и магической, и алхимической. Конечно, Дюрер был связан с алхимией, как с алхимией были связаны все его великие современники. Что такое алхимия? Мы к алхимии возвращаемся, да и вернемся. Ничего страшного в этом названии нет. Алхимия — это соединение воедино, это интегрированные знания, а что вообще хорошего в дифференцированном знании? Что такое гемоглобин знаем, изучаем гемоглобин. А может, у нас этот гемоглобин указывает на целый ряд разных заболеваний в нашем организме? Алхимия — это интегрированные знания. Собственно говоря, наука алхимии выражает идею учения о единстве мира.

Мы очень зацикливаемся на том, на чем, вероятно, зацикливались и они, — на добывании золота. Если подумать, то мы его добываем еще более алхимическим путем превращения, нежели это делали научные алхимики. Они были зациклены на магическом кристалле. Но все открытия делались алхимиками, это были настоящие ученые, они просто владели всеми знаниями сразу, эти знания были интегрированы. По всей вероятности, наука будет идти к этой интеграции, то есть к алхимии, но просто на другом этапе. Это очень серьезная вещь. И то, что о ней ходят разные невежественные слухи, это ничего еще не значит. Дюрер, как очень большой ученый, как и Леонардо, который экспериментировал с ртутью и занимался зеркалами, конечно, был алхимиком. Леонардо много еще чем занимался, о чем мы говорить не будем. Это очень большая наука.

Короче говоря, познание человека безгранично, и алхимия тогда была единственным путем познания. Дюрер знал, что познание бесконечно и включает в себя не только ремесленный и интеллектуальный уровни, но и уровень магический. У него магические таблицы весят, и у него висят песочные часы. Песочные часы у него в каждой гравюре.

Песочные часы держит дьявол перед лицом рыцаря. Песочные часы висят на стене в келье святого Иеронима. Впрочем, это не келья святого Иеронима, а это кабинет самого Дюрера, это он в образе святого Иеронима, погруженный в занятия, он просто воспроизвел свой кабинет в Нюрнберге. И очень большое значение песочные часы имеют в «Меланхолии». Эти песочные часы повторяются бесконечно. Конечно, они имеют очень большое значение. Сейчас песочные часы нужны в медицине. Песочные часы — это выражение образа времени.

Здесь надо отметить очень любопытную вещь. В начале XX века гениальный писатель Томас Манн, который и по сей день остается одним из величайших писателей мира, написал роман «Доктор Фаустус». Это роман о немецком композиторе Адриане Леверкюне, о музыкальном гении XX века. И одна из самых центральных сцен в романе — это приход его, того, кто у Булгакова в «Мастере и Маргарите» называется Воланд. Сатана ли, черт ли, который пришел к Ивану Карамазову, — одним словом «он».

В этом романе Томаса Манна есть очень многозначительный для нас отрывок, потому что пути от «Меланхолии», от этих песочных часов, от этих странных образов по многим тропам доходят до нашего времени.

Весь разговор идет между Адрианом Леверкюном и чертом, а третьим между ними всегда стоит Дюрер. Тень Дюрера в романе Томаса Манна постоянно появляется там или тут. Например, в квартире Адриана Леверкюна, где он живет, на стене висит гравюра «Меланхолия». И Адриан Леверкюн свой первый знаменитый цикл, который прославил его как музыкального гения, фантастическое новое явление в музыке, написал именно по этой магической таблице. Эта магическая таблица имеет очень большое значение, потому что именно дюреровская магическая таблица из «Меланхолии» обыгрывается в романе. Он называет ее «изумрудная скрижаль», по легенде она пришла к нам как изумрудная скрижаль, как изумрудная таблица еще из Древнего Египта. В переводе на образный язык это звучит как «эсмеральда». «Собор Парижской богоматери» Виктора Гюго — алхимический роман, и у него мелькает там та же самая Эсмеральда, изумрудная скрижаль. А уж для Адриана Леверкюна эта эсмеральда — просто самая главная трагическая награда его жизни.

Они постоянно разговаривают между собой о Дюрере. И даже в финале романа, когда Адриан Леверкюн уже сходит с ума, и исполняется «Плач доктора Фаустуса», Томас Манн пишет, что на этой премьере были люди необыкновенные, были все знаменитости мировые: «И мне кажется, я видел среди них человека, который очень напоминал Альбрехт Дюрера». То есть он как бы присутствовал даже на исполнении «Плача доктора Фаустуса».

Они все время говорят о Дюрере, Дюрер постоянно присутствует в их разговоре: «Как я замерзну после солнца...» Это очень важное замечание, потому что Дюрер очень мерз в Германии. Ему нужно было солнце. Он любил Италию. Он ездил в Италию, он обожал Италию. Жил в Венеции у художника Джованни Беллини. А черт является Адриану Леверкюну именно в Италии. «А теперь, извольте, песочные часы “Меланхолии”. Видать, черед за цифровым квадратом!» Здесь он перечисляет абсолютно все. Да, ему говорит этот человек. Сейчас я ставлю перед тобой эти песочные часы. И мы даем тебе время, чертовски длинное время — 24 года, и ты будешь гением, пока будет сыпаться эта красная тонкая струйка песка из верхнего резервуара в нижний. И пока она сыплется, ты станешь Адрианом Леверкюном. Тебе будет казаться, что это время недвижимо, потом оно будет все быстрее и быстрее, пока, наконец, не кончится.

И он спрашивает его: а ты к нему, то есть к Дюреру, тоже приходил? Нет, отвечает его посетитель, к нему я не приходил. Он сам обходился, без нас, без меня он обошелся. Он приходит только к человеку XX века. И что же требует от него этот черт, чего он его лишает? Он его лишает только одного. Он ему говорит: тебе запрещена любовь. Он лишает его любви. То есть творчество твое будет абсолютно интеллектуальным. Оно будет холодным. Он его лишает самого главного божественного дара, который дан человеку. Ты можешь быть гением, но без любви... А к Дюреру нет, не приходил. Он без нас обошелся, потому что ему дана была полнота свершений чувств, что в «Меланхолии» он и показал.

И еще одна любопытная деталь в этом же разговоре. Адриану Леверкюну очень интересно, какой национальности его гость. И он его спрашивает: «А ты кто? Ты немец?» Тот отвечает: «Да, я — немец, пожалуй даже природный немец, но старого, лучшего толка — космополит всей душой. Хочешь от меня отмахнуться, а не принимаешь в расчет исконно немецкой романтической тяги к странствиям, тоски по прекрасной Италии! Выходит, я — немец. Я тоже замерз и меня потянуло на солнце».

Это разговор не менее интересный, чем предыдущий. Вспомните разговор Берлиоза с незнакомцем на Патриарших прудах, когда он его спрашивает и все никак не может понять, кто он по национальности. Там почти буквальное цитирование. Поэтому вообще здесь много каналов, где пересекаются самые неожиданные линии, линии жизни и творчества Дюрера пересекаются с линиями Томаса Манна и Адриана Леверкюна, художника XX века. Пересекаются с образом Булгакова неоднократно. Вот это и есть культура — когда это не кануло, а когда это возрождается и возникает всякий раз на новом этапе, уточняясь, углубляясь, как резцовая гравюра, давая все более глубокую линию, все более яркий свет.

Вернемся снова к гравюре «Меланхолия». Изумрудная скрижаль, магическая таблица, песочные часы и колокол, набат... Управление этим набатом, гласом божьим — веревка не в руках ни у кого, она уходит за пределы гравюры. А вот левая честь этой гравюры совершенно другая. Она изображает земной ландшафт, очень яркие лучи света от звезды. Что это за звезда? Об этой звезде тоже очень много написано. Существует версия, что это вычисленная и окутанная легендами и предсказаниями комета Галлея, которая тогда пронеслась. И что самое интересное, неся карту в лапах, на этом фоне возникает летучая мышь, и на картуше написано «меланхолия 1». Что такое 1 — мы не знаем. И ответить на этот вопрос никто не может.

Трудно сказать однозначно, что это за звезда, которая зажигается на горизонте. Очень интересно пишет об этой звезде также Томас Манн в книге о докторе Фаустусе, но сам Дюрер и современники звали ее планетой Галлея. С ней были связаны тогда, как и в наше время, всякие астрономические, астрологические, космические предсказания катастроф, эпидемий, которые тогда были, несогласий в обществе, раскола, появления такой страшной болезни, как сифилис. Это имело большое значение.

Но главное, конечно, это летучая мышь как символ меланхолии. Она в своих лапах — над звездой, над радугой, над водой, над ландшафтом, над миром — несет этот картуш меланхолии.

Меланхолия — душевная болезнь гениев. Ничего не поделаешь. Многие знания приумножают скорбь. Чем больше мы знаем, тем глубже мы видим. А что видел этот человек? Конечно, душа его была больна. Он не был душевнобольным, но он был душевно раненным черной меланхолией. Взглянем на главного героя этой гравюры. Он ранен этой страшной и неизлечимой болезнью — меланхолией. По всей вероятности, этой же болезнью был болен и булгаковский Мастер, а возможно, и сам Булгаков. Многие другие ни на кого не похожие люди с великой трагической судьбой — духовно трагической.

Эта фигура, которая сидит справа. Мы о ней пока еще ничего не сказали. Собственно говоря, все предметы, которые расположены на всех трех уровнях познания, — это все и есть внутренний мир фигуры гения, который сидит справа от этих предметов. Все эти предметы есть проекция внутреннего мира, и гений очень интересно охарактеризован художником. У него огромные крылья необыкновенного размаха, как очень большие крылья ангела. В руках он держит циркуль, а на голове у него венок. Это три символа, которые характеризуют личность гения. Как интересно между собой соединяются крылья и циркуль! Может быть, именно потому, что они были в гармонии и равновесии — и циркуль, и крылья. К нему никогда не приходил тот, кто пришел к Адриану Леверкюну.

С одной стороны, крылья — это образ безграничности возможностей познания: лети в любую сторону, над землей, в межзвездном пространстве, у тебя есть крылья. Это не только твое воображение, это еще инструмент познания, полета, отрыва от земли, от быта, от мелочей. Способность видеть свои способности к обобщению, к панорамированию своих впечатлений. И когда эта безграничность безгранична, это очень плохо. Ты программируешь безграничность своей свободы, безграничность своей личности, безмерность своего опыта. Нет, говорит немецкий гений Дюрер. Все должно быть уравновешено циркулем. Все должно быть доказано, вымерено, выверено, ограничено. Все должно быть под контролем. Какой предмет лучше циркуля характеризует этот самоконтроль?

Не было человека, кроме Леонардо, который до такой степени интересовался познанием самого себя, самоанализом, самоконтролем, самоизучением. Попытки объективного изучения собственного сознания и своих поступков, контроля за собой. Крылья гения и циркуль, а на голове у него цветущий терн, он еще не облетел. Он еще пока с шипами, не врезается в чело, он еще пока цветет, этот терновый венец. Трудно утверждать с уверенностью, но, вероятно, этот гений с крыльями и циркулем в руках, с таким печальным взглядом, так печально глядящий куда-то, так много в себе объединяющий, так много на себя берущий, — это один из автопортретов Дюрера.

Есть автопортреты в зеркале, когда художник сидит и рисует себя в зеркале, а есть автопортреты в образе, когда художник представляет себя в некоем образе. Это именно авторская вещь — автопортрет Дюрера в образе. Дюрер знал, кто он.

Надо сказать, что Дюрер, пожалуй, единственный среди мировых художников, который имеет такое невероятное количество автопортретов. Считается, что лидирует по автопортретам Рембрандт. Да, у него много автопортретов. Но, пожалуй, у Дюрера больше. Во всяком случае, они разнообразней, они не подсчитаны. И первый свой автопортрет Дюрер нарисовал, когда он был мальчиком, ему было девять лет. Он нарисовал его в зеркале. Это мальчик с очень светлыми волосами, выпуклыми глазами. Он пальцем указывает на самого себя, и наверху рисунка надпись: «Это я, Альбрехт Дюрер». Он называет себя громко по имени. Он пишет себя, свой автопортрет. Он обособляет себя. С этого момента начинаются его автопортреты, до самого призрачного последнего, где он стоит и, указывая на поджелудочную железу, делает надпись: «Рак и Дюрер». Он ставит себе диагноз — рак поджелудочной железы.

Но Дюрер свои автопортреты не просто пишет как портреты себя. Посмотрите, какое огромное количество у него картин, и почти в каждой есть обязательно его автопортрет. Что это значит? Это то присутствие, видимое или невидимое, внутри всего этого мира, который он описывает. Очень интересно, когда Мастер булгаковский говорит о себе: я угадал, как я угадал! Там есть момент, что он присутствовал при всем, и когда Понтий Пилат с Каифой беседовал на веранде, пролетела птица, а может, он и был этой птицей. Факт присутствия. Художник описывает все так, как если бы он был внутри этого. И Дюрер — единственный художник, у которого огромное количество автопортретов внутри больших картин, всегда означающих факт его личного присутствия внутри этого события, а также и прямых автопортретов в зеркале. Он пытливо вглядывается в свое лицо, он ищет ответа на те вопросы, которые перед ним встают. Это опыт самопознания. Автопортрет художника — это всегда то, как он видит самого себя.

Не потому Ван Гог себя рисовал, что у него не было моделей, что ему дорого стоила модель. Он очень интересовал самого себя. Он вопрошал себя о себе самом. Это были удивительные автопортреты. Дюрер постоянно возвращался к очень строгому вопросу, который он ставил перед собой: кто я есть?

Альбрехт Дюрер. Автопортрет в 28 лет. 1500. Старая пинакотека, Мюнхен

Вернемся к его образному автопортрету. Это, конечно, его альтер эго, это его двойник, это его главный двойник как гения, жестко ограниченного целым рядом обстоятельств, а потому настолько отдающего себе отчет во всем, что пути к нему для того, кто пришел к Леверкюну, просто нет. И он не может войти с ним ни в какую сделку, о чем тот и говорит в «Докторе Фаустусе».

Обратимся еще к одному автопортрету Дюрера. Это очень знаменитый автопортрет, может быть, самый знаменитый — мюнхенский автопортрет 1500 года, созданный до того, как он начал работать над «Меланхолией». 14 лет — это очень большой срок. Дюрер написал свой автопортрет, и этот автопортрет является как бы дополнением к тому образу, который мы видим в «Меланхолии». Бросается в глаза двойственность в автопортрете. С одной стороны, очевидна аналогия с изображением творца, бога — резко фронтальное изображение лица, прекрасные золотые волосы, расчесанные по бокам. И отметина — три золотые пряди, как византийцы писали. Три золотые пряди означают божественную отметину. И строгий испытующий взгляд. Он был необыкновенно красивым человеком. Это отмечали и его современники, которые очень много писали о его красоте, о его щегольстве, писали о том, как он любил одежду, как он любил красиво причесываться. Мы видим это на его автопортретах.

Тоже серьезная черта. Можно поразмыслить о том, что такое повышенное внимание к своей внешности. Это не что иное, как попытка закрыть себя. Быть всегда в этой форме, закрыть себя в футляр безупречности, чтобы ни для кого не быть доступным. Это очень занятная черта. Целое исследование можно об этом написать. У него было подчеркнутое отношение к себе. А уж как волосы были написаны! Джованни Беллини говорил ему: покажи мне кисточку, которой ты пишешь эти волосы. Дюрер брал обыкновенную кисточку. А как написаны были ею волосы — Джованни никак понять не мог, хотя сам был мастером замечательным.

Божественная мощная голова, а он в халатике. И опять эта фраза: «как я мерзну здесь, мне бы на солнце». Он в домашнем халатике на беличьем меху. Нервная рука потрясающей красоты, как обнаженные нервы. Она живет самостоятельной жизнью, очень напряженной и нервической. Да, все дано, как на картине: меланхолия, но я только человек, и как человек я абсолютно слаб. Это поразительный вывод, который он делает.

Современники называли его Мастер. Мастер Дюрер. Это автопортрет мастера. И в «Меланхолии» портрет мастера. Что такое мастер? Почему его современники называют так? Мастер он потому, что он может сделать шедевр. Мастер может сделать то, чего не может сделать никто. Ты получаешь звание мастер, как академик, если ты можешь сделать то, чего не могут другие.

Он был мастером, когда он творил, он становился творцом. Люди, художники, гуманисты, жившие в это время, творца называли мастером. Они его иначе не называли. Они квалифицировали его как мастера, потому что он творил мир, по образу своему и подобию. Он как художник его творил из праха, черепка. Поэтому тот, кто творит, есть отражение, подобие мастера. Тот, кто угадал, тот, кто знает, — он есть мастер.

Этот портрет 1500 года — портрет великого мастера, которому так много дано и у которого так много отнято, который так силен и который так по-человечески болезнен и слаб. Который может то, чего не может никто, — он творит шедевры, и который имеет такую болезненную и уязвимую в жизни оболочку.

Неслучайно Булгаков называет своего героя Мастер. Если вы помните, он не имеет имени. Он анонимен. Он просто Мастер. Он написал роман, в котором он рассказал подлинную историю. Он был только очень слабым человеком, его не могла спасти даже Маргарита.

Там есть еще одна удивительная деталь — и мы возвращаемся к Адриану Леверкюну с пришельцем. Маргарита сшила Мастеру шапочку, черную шапочку, на которой вышила букву М. И это единственное, что у него осталось от всего, что было до того, как он попал в больницу, где мы его и встречаем. Но если перевернуть букву М, то это будет буква W – Воланд. Мастер и Воланд — это одна и та же буква. Это вещь, по всей вероятности, уже в сознании Булгакова таким образом связанная. Эти понятия были связаны также в сознании Томаса Манна, у людей XX века. Тема мастерства, тема гениальности, которая связана с великой трагедией личности. Но и современники называли Дюрера Фаустусом. Что они имели в виду? Круг его познаний, возможность проникнуть за границу того, что недоступно даже самому великому человеку. Кто может ответить на этот вопрос? Но самое главное — не отвечать на вопросы, а их ставить. И тогда темы, о которых мы говорим, будут оставаться вечно актуальными, потому что актуальны только те темы, которые не имеют ответа. Если какая-либо тема имеет окончательный ответ, она не актуальна, она уже решена. Это относится к самым великим явлениям мировой культуры, от самых давних времен до нашего времени, они несут нам вечные ответы и вечные вопросы.

Характеристика этого художника более высокой быть не может. Только тот великий художник, кто несет нам новые знания, ставит новые вопросы, на которые мы ответить пока не можем. Таков и Альбрехт Дюрер. Не только потому, что он был абсолютным гением и знал, и мог то, чего не знал и не мог никто, но еще и потому, что он до сих пор ставит вопрос о парадоксе гения. Как говорил Пушкин: гений, парадокса друг. Дюрер был, по определению Пушкина, парадокса друг. И этот парадокс заключается в том, что его знания, его возможности, его практическая деятельность для нас невероятны. Но для него все это всегда было под контролем. Он был человеком, который сочетал в себе безграничность возможностей и самоограничение — одну из самых основных черт современной морали.

В гравюре «Меланхолия» Дюрер рассказал о том, что такое познание человеческое, о том, что нет единого понятия «познание». Есть познание как обучение ремесленное, интеллектуальное, познание в области чувств человеческих. Ведь чувства тоже входили в область интеллектуальную. Не случайно у него четыре апостола — это четыре темперамента: два активных и два пассивных. Это наука о характере, это наука о темпераменте. Область чувств — это тоже область познания. И размышления о том, что во все времена это перемол и повторение одного и того же. А третья область — это область мистического познания, там кончается логика, там кончается аргументация, там кончается опыт. Там вступает в силу еще нечто, что уже входит в систему понятий религиозно-мистического опыта. Это выражено изучением познаваемого, понятием времени — что такое время и на что оно отпущено, оно выражено песочными часами. Магическая таблица — управление временем. Вы можете отправиться назад. А самое главное — вы можете стать повелителем. То, что сделал настоящий Фаустус. Вы можете реконструировать мир. И Адриан спрашивает: а он мог работать с магической таблицей, чтобы стать властелином, чтобы изменить себя и мир вокруг? Мог, но он себе этого не позволил. Это главное — не позволять. Это тема судьбы, набата, по ком звонит колокол. Это не в твоих руках. И все эти знания, которые непосильны человеку в халате, рождают в нем меланхолию.

Адамиты – художники и провидцы

Если поднимать вопрос о русской реформации староверов и протестантстве на Западе, то окажется, что это безумно интересная тема. И она совершенно необходима для мировой культуры. Просто эти процессы проходят в достаточной степени закрыто. Ну, есть какие-то там протестанты. Какое они имеют к нам отношение? Или староверы... А на самом деле это те процессы, которые радикально влияют на художественное сознание мира. Просто мы видим только конечный результат, но мы не можем отдавать себе отчет в том, что это такое по своей сути. А поскольку мы отчета отдать не можем, то не можем судить об этом правильно, только поверхностно, по сумме поверхностных признаков. Есть какие-то гениальные явления, раскрывающие подлинную глубину протестантской новой эстетики и новой духовности. Это Бах, это Кант и это Рембрандт.

Обратимся к теме Страшного суда, или Апокалипсиса. Это сводится к такому феноменальному явлению, как календарь, или к такой удивительной вещи, как время. Античность не имела представления о времени. Греция жила в циклическом времени: у них время не развивалось, оно воспроизводилось — Олимпиада, проходившая раз в четыре года. И, несмотря на то, что Цезарь создал современный календарь (которым мы могли бы пользоваться, но мы используем другой — уточненный папой Григорием XIII, поэтому он называется григорианским), установил мировое время, общеимперское время — так как существовала большая империя, но по-настоящему сознание времени создано христианством. Оно соткано христианской идеей миросотворения и конца света. И между этими двумя точками существует рождение и смерть.

Как происходит рождение мира, мы знаем по библейской теме миросотворения Творцом, и в финале этого миросотворения мы видим создание тварного мира, а также появление человека как некой высшей точки развивающегося интеллектуального сообщества, живущего не только инстинктом, но живущего в духовном и разумном миру. Это воля под управлением разума. И такие понятия, как начало мира и конец света, есть финал понятия христианского (или, если быть точнее, религиозного). Именно христианство вводит понятие «трагедия рождения и трагедия смерти». Существует только одна вещь, которая абсолютно предопределена — это конец, мы все смертны. Другое дело, что один смертен в пятьдесят лет, а второй смертен в сто пятьдесят. И даже древние люди, которые жили еще до христианства, это понимали. Как сказал Сократ: «Жизнь философа есть упражнение в смерти». Это высказывание имеет очень интересный комментарий: ваша жизнь должна быть оптимистически успешной, и жить вы должны так, чтобы быть готовыми к ответу каждую минуту. Каждый день может быть последним, и вы должны быть готовы к этому. Вам, может быть, еще очень далеко до этого момента, но жизнь философа активна, оптимистична и созидательна. Вы должны выстраивать себя как личность.

Конец света произошел давно, поэтому мы давно перешагнули этот рубеж. В христианстве, особенно в то время, когда складывалась настоящая идея христианства, воплощенная в образы, книга до определенного времени была не так широко распространена. Никто не сидел в группе или порознь и не читал, но они понимали, что сознание единого поля, сознание единой культуры, единой культурной ценности, единой традиции тоже является просвещением. И оно создавалось через сакральную — религиозную ценность.

Это очень серьезная вещь, потому что церковь — это модель, это универсальное представление о людях. И именно в восточно-христианской традиции, византийской, где идеальной страной Средневековья является, конечно же, Россия, сложился художественно-изобразительный текст, который существует до сих пор. А православная церковь, что очень важно, не меняет своего текста, своего языка, своей идеи, и поэтому этот текст однозначно, мощно и отчетливо заявлен моделью восточно-христианского, или греческого, или православного храма.

Когда вы входите в храм, то перед какой стеной стоите? Перед восточной. Восточная стена — это иконостас. Вы вошли, за вами закрылась дверь, вы поворачиваетесь — и перед вами западная стена. Существует центральная ось храма, где текст проходит не от купола к вам, а сквозь вас. Горизонтальная ось. И, когда вы находитесь в этой горизонтальной оси, как во кресте, вы стоите лицом к иконостасу. Иконостас всегда представляет собой несколько тем, всегда одинаковых. Одна из них, наиважнейшая, называется Деисусный ряд, или чин. В центре — Вседержитель на троне, у него открытая книга человеческих судеб. Он смотрит на вас фронтально. Это фронтальное смотрение. Все остальные смотрят по-другому: они обращены к центру, к нему, на три четверти. Богородица, Иоанн Креститель, архангелы Гавриил и Михаил, Святое воинство, двенадцать апостолов и, иногда, первосвященники.

Что представляет собой изображение Вседержителя? Он является верховным судьей в день Страшного суда. Но его явление невидимо, он сидит в таких мандалах — сферах. Он явился с открытой книгой, но осуществляет невидимость присутствия. А слева и справа от него — Богородица вместе с Иоанном. Они всегда стоят с ним и обращаются к нему, потому что они наши защитники, их слово — это слово защиты. Он как крестный отец, она — мать, восприемник души. Они за нас просят. Рядом Святое воинство, которое их охраняет. Два архангела имеют равновеликое значение, это силы архангельские, силы серафические, шестикрылые. А что идет дальше? Кто такие апостолы? Это присяжные. Это суд защитников и присяжных. Классический Деисус может иметь всего лишь три иконы, но полный — это тот, где присутствуют и присяжные. А на западной стене всегда, в любой церкви, изображено одно и то же — Страшный суд. И ничего другого. Это все изобразительные тексты: повторяющиеся, узаконенные, канонические.

Православное христианство — это постоянно работающий автомат, никогда не выключающийся и держащий нас на вертикали. Не будем останавливаться на этом вопросе, если начать говорить, в какие времена ожидали Апокалипсис, то и за год не рассказать. Поэтому остановимся на той точке, которая интересна нам. И относится она к западноевропейскому искусству. Она очень интересна: это слом сознания, это осознание чего-то совершенно нового. Каждый из нас, когда находится в храме, чувствует себя внутри истории или частью мировой истории, эзотерической, потому что это религиозное поле. А когда человек осмыслил себя как часть истории? Этот слом в Европе произошел в 1450 году, и связан он был с совершенно потрясающим событием — изобретением печатного станка Иоганном Гутенбергом.

Что произошло, посмотрим чуть позже, но до этого обратимся к книге, которая называется «Откровение святого Иоанна Богослова». Это Откровение необыкновенно интересно. Например, та часть, которая называется «Псалтырь», и которой пользуются староверы, является финалом книги Ветхого Завета. А вот Откровение — это финал Нового Завета. Оно идет не только после канонических Евангелий, но после всех Посланий апостолов, после их деяний, после всего, это финал. Вопрос о подлинности текста Откровения до сих пор спорный. Есть такая концепция, что Иоанн Богослов (а он был не только одним из авторов Евангелия, но и любимым учеником Христа) был сослан на греческий остров Патмос, и существуют очень большие расхождения в датировках. Есть такая датировка, что Откровение, которое было ему дано в воскресенье на острове во время грозы и бури, произошло, где-то в 67 году. Есть сведения, что это произошло позже, при римском императоре Домициане, в 89 году. Откуда мы знаем об Откровении? Документально. Однажды он взял с собой одного послушника, которого звали инок Прохор, и пошел с ним в пещеру, велев Прохору записывать за ним все, что он будет говорить. До этого они очень долго постились. Они были чисты и стали сосудом, который воспринимал информацию. Прохор, собственно говоря, и записал это Откровение. А писал он за ним два дня и шесть часов, то есть тридцать часов подряд. Когда инок вышел из пещеры, то он сказал, что Иоанн Богослов «был в духе». Это очень сложно перевести, но это означает что-то вроде «находиться на прямом канале». Когда Мухаммед впадал в подобное состояние и слышал слова Пророка, он был в духе.

Откровение потом стали переписывать. Не будем сейчас углубляться в вопрос о близости или отдаленности тех текстов от того, что говорил Иоанн Богослов. Но, в конце концов, когда этот текст оформился как текст, он обрел свое каноническое значение и существует по сей день. Если учесть, что классическая опись Евангелия все-таки была принята в 381 году, в IV веке, а скорее, даже в VI веке, то прошло 600 лет. Но рукопись была. Подлинников очень мало, есть тексты послания апостола Петра, они находятся в Ватиканской библиотеке. Остальное — это списки. А подлинником считается запись, сделанная иноком Прохором.

В этой теме есть интересная история одного совершенно безумного человека, террориста, жуткого типа, делавшего бомбы, за что он и был посажен в Петропавловскую крепость. Знаменитый Морозов — он был гениальным математиком. Нет чтобы использовать свои способности в мирных целях — никогда! Светлая голова, но в мирных целях жить не мог. И, когда его посадили, он сделал другую бомбу: опираясь на лунный календарь, переделал всю хронологию Откровения. Он досчитался до того, что опроверг всю датировку. Но не будем здесь вдаваться в подробности.

Когда был изобретен печатный станок, в Европе произошло необыкновенное волнение умов — настоящее интеллектуальное землетрясение. Тем более, что тут Реформация гуляет, Лютер со своей компанией. Но это отдельная тема. В Европе это называется протестанизм, потому что он был направлен против католицизма, а в России это называется реформация, потому что это попытка двух людей предложить реформы. То, что произошло в 1450 году, стало большим событием. Большая международная организация, называвшая себя «Цехом каменщиков» или «Цехом строителей», строившая готические соборы, объявила, что больше готических соборов она строить не будет, как и достраивать. Как это постановление было осуществлено — это другой вопрос, но 1450 год — это финальный год строительства готических соборов. Наступила новая эра. Готический собор является книгой. Мандельштам писал: «Безумный лабиринт, непостижимый лес, души готической рассудочная пропасть»... Лучше не скажешь. Рассудочная пропасть — дна не видно, содержание можно раскручивать и раскручивать. Так кто строил эти соборы? Ведь их строительство равно строительству египетских пирамид. Их строил не один человек. Это международные строители. И они самораспустились. Почему? Потому что их заменил печатный станок. Вот тут и начинается самая настоящая революция умов, потому что было решено, что та самая точка изобретения печатного станка и есть конец строительства готических соборов. Эта точка есть конец христианского мира. И эта точка есть начало Страшного суда. Поэтому, по известной хронологии, Страшный Суд наступил в середине XV века.

Кто были те люди в XV и в XVI веках, кто болел этими вопросами, кто разделял все эти убеждения, кто действительно полагал, что это так и есть? Прежде всего, Альбрехт Дюрер, для которого это было событием невероятным по своему драматизму, который был самым яростным противником любой реформации и который первым сделал две большие книги, где он запечатлел почти все эпизоды видений Иоанна Богослова. Когда он умер, его очень близкий, единственный друг Виллибальд Пиркгеймер — гуманист, опубликовал их переписку, которая открывает историю событий, их отношений, чем они занимались, какие у них были интересы, как они относились друг к другу. Дюрер переписывался с немецким ученым Эразмом Роттердамским, который был великим геометром и астрологом. Его друг был безутешен. Оба этих человека горевали о смерти Дюрера. Пиркгеймер писал Эразму Роттердамскому, что его убила жена, которая была ведьмой и извела своего мужа.

Вероятно, в мире было только два ума такой мощи: Дюрер и Леонардо. И трудно сказать, кто был мощней. Немцы называют Дюрера воплощени-

Альбрехт Дюрер

Апокалипсис. Фронтиспис издания 1511 года

Апокалипсис. Мученичество Иоанна Богослова

Апокалипсис. Видение Иоанном семи светильников

Апокалипсис. Иоанн перед Богом и двадцатью четырьмя старцами

Апокалипсис. Четыре всадника Апокалипсиса

Апокалипсис. Снятие пятой и шестой печатей

Апокалипсис. Четыре ангела, сдерживающих ветры, и 144 000 запечатленных

Апокалипсис. Поклонение Богу и Агнцу

Апокалипсис. Снятие седьмой печати, первые четыре трубы

Апокалипсис. Четыре ангела Смерти

Апокалипсис. Иоанн съедает книгу

Апокалипсис. Жена, облечённая в солнце, и семиглавый дракон

Апокалипсис. Битва архангела Михаила с драконом

Апокалипсис. Зверь с семью головами и зверь с рогами агнца

Апокалипсис. Вавилонская блудница

Апокалипсис. Низвержение Сатаны в бездну и Новый Иерусалим

Альбрехт Дюрер. Эразм Роттердамский. 1526. Частная коллекция

ем доктора Фауста. Поэтому, когда Томас Манн писал свою книгу о Фаусте, он писал с Дюрера. Дюрер был необычным человеком, совершенно фантастической красоты — все об этом писали. Когда он шел, то все оборачивались. Необыкновенный щеголь в одежде.

Что стали печатать в первую очередь после изобретения книгопечатания? Игральные карты. Что тут началось! Разве приличный человек мог играть в карты? Приличный человек играет в кости. Аристократы играют в кости. И сам Дюрер обожал кости. Он не просто играл в них — у него была мечта, о которой он писал сам: «У меня есть сладкое предчувствие, что я проиграю». Он хотел проиграть и каждый раз выигрывал.

Если глубоко смотреть на некоторые вещи, то что могло связывать Булгакова с мировой культурой? Это было общество, к которому принадлежал и Дюрер, — это общество адамитов. Он был не католиком и не протестантом. Он был адамитом. И Булгаков тоже играл в кости и совершенно гениально описывал эту игру в своем произведении. Многие называли Булгакова синеглазым. И Дюрера тоже называли синеглазым, хотя у него были карие глаза, потому что синеглазые всегда выигрывают. Булгаков всегда шел играть и ставил планку — пять рублей. И он выигрывал пять рублей и шел со своими друзьями в Елисеевский магазин, покупал коньяк, шампанское, ветчину, севрюгу, лососину или икру. И они гуляли на эти деньги. Проходило какое-то время, и он снова шел играть, а потом снова шел с друзьями в Елисеевский магазин. Это выглядит забавным, но это не анекдот. Адамиты были очень странными личностями.

Почему карты воспринимались в штыки? Потому что дьявол выбросил их в мир. И когда у Булгакова на Патриарших прудах идет беседа Бездомного и Берлиоза, они никак не могут понять, кем является по национальности их собеседник. Поляк — не поляк, француз — не француз. И они спрашивают: «Вы немец?» И тот, задумавшись, отвечает: «Да, пожалуй, я немец». Потому что это имеет прямое отношение к тем невероятным событиям. Культура связана со всем и всеми множеством нитей. Себастьян Брант написал знаменитый «Корабль дураков», где главным героем сделал господина Пфеннига.

В общество адамитов входили Микеланджело, Набоков и множество других людей, а возглавлял это общество человек, которого звали Ерун ван Акен, известный нам как Иероним Босх. В это общество входила подруга Микеланджело Виттория Колонна. Она и Микеланджело пережили всех и стали сильно бояться инквизиции. Они переписывались эзоповым языком, намеками. Она потом ушла в монастырь, он другими вещами занялся: архитектурой, поэзией. Они боялись собственной тени. В общество входили итальянские гуманисты, которые были против католицизма, против Ватикана и против Реформации. Они говорили: «Чума на оба ваших дома! Вы не понимаете, что происходит?» И они выделились в условную духовную группу. Есть одна из версий, что центры общества адамитов, или общества Святого Духа (или духа девы Марии), помещались в Бельгии, во Фландрии, в Брабанте, в местечке Хертогенбосх, где родился Иероним Босх, и где он умер. И он похоронен в той церкви, где написал Страшный суд.

В том, что такое общество было и есть, нет сомнений. Адамиты — это очень сильное общество.

Если вы откроете Википедию, то в ней вы найдете об этом обществе много информации, но ничего общего у того, что там написано, с реальностью не будет. Их деятельность была огромной. Поскольку туда входили писатели, художники и поэты, то они делились на две части. Они все много писали. Главное, что они написали, — это послания папам. Нам известны семь. И в этих семи посланиях папам они объяснили, что Страшный суд наступил. Он уже есть. У Суда есть несколько признаков, и они их перечисляют. Первый признак Страшного суда — это, как они говорят, «лжемудрость». Вот, описывает Иоанн Богослов, как ему ангел явился в облаке, внутри горящего пламени. Он как бы шел, а потом раскрылся, и ангел явил ему свой лик и протянул книгу на полотенце и заставил его эту книгу съесть. И когда он эту книгу ел, то ему сначала было очень горько, а потом стало сладко, после чего стало опять очень горько. Что значит «надо книгу съесть»? О чем он пишет? Книга должна вами быть поглощена. Знания книги должны быть поглощены. Они должны быть растворены в тебе, и ты должен пропитаться этим: и тогда тебе будет и сладко, и горько, ибо великие знания приумножают скорбь.

Посмотрим на картину «Операция глупости». Разве экскурсовод сможет объяснить, почему тут книга на голове? Когда речь идет о Босхе, можно только мычать. Надо знать, о чем идет речь: здесь целая дискуссия, связанная с посланием папам. Когда книга на голове, значит, ее усваивать не надо. От нее не горько и не сладко. Прочел — забудь. Сдал экзамен, сейчас пойдем выпьем, а завтра в голове ничего нет. Вот об этом идет речь. Не книгопечатанье страшно. Можно печатать географические карты, замечательные книги, но дело заключается в том, что книгопечатанье открывает двери для проходимцев, потому что все будут читать. Когда в XVI веке они начали понимать, что у них никто грамоты не знает, князь Курбский предупредил Ивана Грозного: «Ты обучи человек 1000, чтобы читать могли, кроме попов. Газету хоть какую издай». Господин Пфенниг выгодно покупает все и печатает все. Ему пфенниги нужны, а что будет там написано — ему все равно. Когда папа стал собирать деньги на возведение храма Святого Петра, он напечатал индульгенцию, и все закричали «браво!» Вот он, Страшный суд Сатаны. Индульгенция напечатана. А для чего? На собор. И ему говорят: «Неважно, на что — ты что продаешь?!» И это сказано в послании к папам. Вот это и есть «лжемудрость».

А кто делает операцию? Что это за персонаж? Почему книга на голове? Он что угодно наговорит, он ничего не знает, он внутри пуст — все на голове. Вот другой интересный персонаж. Воплощение народа — мастер. Ему там что-то в голове расковыряли и вынули ложечкой из головы камень ума — штучку, что все усваивает. Он зомбирован. Страшный суд — это массовая операция от ума. И оттуда из головы вырастает маленький тюльпан, у нас говорят «он чайник», а они говорили «он тюльпан». Поэтому в фильме «Фанфан-тюльпан» двойной смысл, а не потому, что главному герою брошь подарили. Он вроде как дурачок, а на самом деле — ого-го какой парень. Посмотрите, на голове надета металлическая воронка. Второй пункт этого послания папам сводится к тому, что воронка — это знак пустоты. Ты в нее льешь, а все из нее выливается, сколько ни лей. Они говорят: все будут читать всякую ерунду, и все будет пролетать словно через воронку. У Босха самый распространенный предмет — это емкости для вина. Они называют книгу «лжемудрость». Все, что связано, что не усваивается и проскакивает — это они назвали «сонное», или «пьяное», или «галлюцинаторное сознание». Это сознание есть во всех посланиях папам — это отсутствие дневного или трезвого взгляда на вещи. Отдать себе трезво отчет, кто ты, и трезво посмотреть, в каком мире ты живешь. Иначе все будут словно пьяные. Они так и пишут: в галлюцинациях. Мир движется в сторону галлюцинаторного сознания. Никто не отдает себе отчет в реальности, а только выполняют операцию на голове. Выполняют приказы. Где мы живем? Наша страна лучшая в мире, наша нация лучшая в мире! Это вульгарный пример, но именно адамиты первыми сказали, что когда сделана операция в голове и вырос тюльпан, то пришел конец уму.

У Босха есть триптих «Страшный суд». Там огромное количество всяких технических деталей. В этом Страшном суде на трех створках изображено сотворение мира. Колесо бытия, вращающееся по кругу, и Страшный суд — это внешние створки.

Почти все большие картины Босха находятся в Прадо, потому что Филипп II, когда увидел картины Босха, просто сошел с ума и влюбился в них. И сказал: «Вот художник изображает людей. Чего таких жалеть? Вот мудрец!» И все картины взял к себе, поэтому весь Босх в Испании.

Здесь изображен мир в его чистом первозданном моменте. Вот шар, твердь земная, вот небеса, космос. Вот господь сотворил человека. У него нет изображения типажей и портретов. У него только буратино — деревянные человечки, полуфабрикаты, заготовки людей. У него нет изображений человека, не только характера, даже типа. Мы с трудом отличаем пол, условно принимая мальчик-девочка. Нет волос — значит, мальчик. А у этого есть — значит, девочка. А так они все бесполые. Почему? У него есть объяснение по этому поводу: они недосотворенные, недовоплощенные. Потому что Господь сотворил, но для того чтобы стать человеком, нужен очень большой труд, о чем также в посланиях папам сказано прямым текстом.

У Босха есть потрясающая картина: изображение Христа, несущего крест, и вокруг него уродливые хари. Это мир, в котором живут заготовки, недовоплощенные. И эти человеческие заготовки, автоматически управляемые, делают все, что ты хочешь. С именем бога, с именем Гитлера. Им нужен авторитет, высшее существо, которое можно чтить, а если это высшее существо еще и связано с господином Пфеннигом... Грядет мир Пфеннига.

Весь триптих называется «Сад наслаждений». Между прочим, в манифесте адамитов сказано, что весь мир есть сад наслаждения. В их представлении люди живут, как здесь показано, по одному кругу. Здесь есть все: и пахари, и раввин — абсолютно все. Вот это и есть мир — погоня за удовольствием и превращение всего в удовольствие. В створке «Сотворение человека» стоят два дурачка, Адам и Ева. И Господь доволен своей работой, а кругом... кошка тащит в зубах мышь. У нее в этом раю все то же самое под носом. Но он это сотворил. Это изначально неправильно.

Прежде чем дальше говорить о Босхе, вспомним Микеланджело. У него есть два больших цикла в Сикстинской капелле. Он пишет сотворение мира — совершенно фантастическую вещь, когда в нем живет вера в мощь человека. Художники уже со второй половины XV века пишут Страшный суд. И Леонардо писал. Его суд написан как текст и так и называется — «Видение Страшного суда». А Микеланджело просто пишет суд, он пишет его на стене Сикстинской капеллы и пишет творение, которое не состоялось — не туда пошло, не так получилось. У Босха надо все разбирать по элементам текста. Его работы — это как клинопись, и вы должны эту клинопись складывать в текст. Он писал кистью по холсту. Когда смотришь близко, то думаешь: какой ужас! А когда смотришь издали, то видишь большое количество фигур, связанных в текст. Это адамитский текст — послание. И Микеланджело — это тоже послание. Он всегда писал человека с очень мощным телом, он писал необыкновенную драматургию, высокий пафос. На самом деле адамиты пишут Страшный суд радикально. Они задают вопрос: а почему вся ответственность должна лежать на боге? Он часть своей работы сделал, теперь все лежит на человеке — пусть развивается. А если что-то не получается, то стоит вернуться к изначальной точке и все начать сначала. У человека всегда есть шанс начать сначала. У адамитов есть очень позитивная линия, связанная с категорическим отрицанием той системы образования и религиозного воспитания, которая существовала в то время. Они предлагают другую систему, призывая выйти из утопий и галлюцинаций и вернуться к реальности.

Оглянемся по сторонам: сидят босховские люди вокруг и зудят. А что сказано? Ничего не сказано. А что читал? Ничего не читал. Вот давайте возьмем главную писательницу нашего времени Дарью Донскую. Чему она учит? Как вести себя в семье, печь пироги. Это чистый Босх, и сама она похожа на Босха. Рената Литвинова — тоже всего лишь кукла, как и многие другие. Таков мир, в котором мы живем. Как может Донская писать обо всем? Как штопать — знает, как писать — знает, как пирог делать — знает, как воспитывать детей — знает. Это какой-то оракул нашего времени. В кольких передачах она участвует, и сколько ее слушают? Об этом и говорится в посланиях папам. И вокруг нее слушают ее такие же донцовы, такие же куклы. XVIII век в этом смысле был особенным. Для этого века куклы и тема кукольного мира были очень важны. Как у Лейбница, и особенно у Гофмана. И поэтому он придумал маэстро Абрагама и знаменитого маэстро Коппелиуса. Куклы выходили из-под рук мастеров и начинали жить своей жизнью.

И еще один очень важный пункт послания. Это пункт связан с семью смертными грехами. Как они лопают, и как они пьют! И дети такие же, как и родители. Это очень узнаваемо. Можно сказать, что эта картина живет счастливой жизнью. Они обеспечены, и все у них есть. У Босха это даже не гениальность, а что-то другое. Но эти послание писал не он один. Это было их мировозрение, это был их испуг, который вызвало появление книгопечатания. И самое важное — развитие технического прогресса. Конечно, они не знали этого слова и высказывались по-другому.

Они пишут «Корабль дураков». Корабль никуда не плывет — он пророс насквозь. Что такое вообще аллегория или метафора корабля в пространстве мировой поэзии, литературе и искусстве? Первоначально кораблем называют храм. Центральная часть храма называется кораблем. Корабль плывет под управлением кормчего. Брант первый написал, что корабль встал. Все проросло, и он никуда не движется. И у Босха на корабле потрясает одна деталь, кроме того, что они пьют и занимаются любовью: это то, что они поют хором. Они все время играют и поют хором. Вспомните Швондера из «Собачьего сердца» — они пели хором революционные песни. И этот же эпизод у Булгакова повторяется в «Мастере и Маргарите», где служащие поют «Славное море, священный Байкал». Булгаков очень хорошо знал материал, он очень точно связан с этим посланием адамитов, только с поправкой на XX век, потому что «Собачье сердце» написано по «Блудному сыну» буквально впрямую. Что значит хоровое пение? Не церковный хор, баховский, а когда просто собрались и поют хором, то есть банальность. Мы все говорим одно и то же. «И хором бабушки твердят: "Как наши годы-то летят!"» Мы, как бабушки, твердим, например, что Иванова — самая красивая женщина в мире! И начинается хоровое пение. Кто самый великий, мудрый, могучий на века? И все хором отвечают. Вот что такое хоровое пение. И это тоже вынос камня из головы. Самое тяжелое предсказание, которое делают адамиты, — это, конечно то, что развития человека, его личности не наблюдается. Все сводится к одному и тому же — к кругу наслаждения, господину Пфеннигу и простым галлюцинаторным видениям. При этом человек становится частью, как они пишут, своей дьявольской изобретательности. Он постоянно будет что-нибудь такое изобретать и станет рабом своих изобретений. Если мы внимательно посмотрим на его картину, то увидим механизмы и человека-животного. Женщина, распятая на арфе. Сюрреалисты его на смех поднимали. Письмо-то бессознательное... Вот он где, Фрейд. Но Босх, как и Брейгель, становится одной из лучших фигур сюрреализма.

На одной из створок «Страшного суда» есть совершенно феноменальный образ, на котором нельзя не остановиться, потому что это образ, собирающий и объединяющий все, о чем шла речь выше. Это кошмарная метафора апокалиптического видения мира. Что здесь очень интересно, так это портрет. Босх никогда не писал портретов, индивидуальных образов, только обобщенный тип. Но это, совершенно очевидно, его автопортрет, и он смотрит на нас. Это портрет уникальный, в образе прогнившего космоса. Человек как микрокосмос. Когда человек один, то по нему одному можно прочитать эпоху и время. Здесь такие страшные образы, которые совершенно невозможно придумать. Многие говорили и говорят, что он был сумасшедший, но оставим это в стороне. Возможно, это мы сумасшедшие, а не он. Босх, вне всякого сомнения, писал вечные послания. Вечность — это послания о Страшном Суде.

Всем известный сюжет битвы архангела Михаила с сатаной. Это из Страшного суда, это послание Апокалипсиса. Самое интересное, что тут много деталей. Эти всадники беспощадны, а за ними идет смерть с косой. Потому что Всадники смерти — это видения Апокалипсиса, идея всемирная, а не восточная или западная. Когда они говорят в послании папам о превращении мира из сложного в элементарный, о превращении человека в управляемое существо, лишенное собственных мыслей, они имеют в виду послание Иоанна — абсолютную смерть. Что китаец, что европеец — все едины.

Эта тема имеет очень интересное продолжение, которое возникает в какие-то роковые минуты, начиная с середины XV века. Это эпоха не только великих гениальных гуманистов, но и мировых потрясений, это не только Реформация, но и открытие колоний, экспансия Испании, сложные отношения с Китаем и прочее. С одной стороны, гуманизм строит новое человечество, а с другой стороны, эти процессы тоже требуют гениального осмысления, исторического осмысления — откуда мы и где мы?

Брейгель и Грюневальд – рекруты истории

Историю делает история, а не люди. Людей, которые делают историю, никогда не существовало и не будет существовать. Все те, кого мы называем историческими деятелями, это рекруты. Македонский был рекрутом. Цезарь был рекрутом. Все, что он рекрутировал, приносило успех. Он прекрасно все понимал и был человеком с историческим сознанием. Он знал, зачем он пришел в этот мир и сознавал возложенную на него миссию. Цезарь видел, что Рим не может стать больше, чем республикой, и что республиканская демократическая система и фразеология (то есть республиканские лозунги) не могут удержать все, что завоевано, потому что демократия может существовать только для малых форм. Удержать большие формы она не в состоянии. И он понял, что для объединения всех этих провинций нужна другая форма. Если бы он не знал этого, то не было бы его знаменитого официально опубликованного спора с Катоном. Переводя на наш язык, у Цезаря было сознание рекрута. И мы не виноваты, что у нас очень плохие рекруты, которые не обучены многим вещам. У них нет политического и исторического образования. Они ничего не могут, потому что не рекруты. История делает историю.

Чингисхан был рекрутом, и рекрутами были адамиты. Вообще все адамиты имели очень странные биографии. Можно назвать это словом «мессия». Это даже не историческое сознание. Мы все хотим объяснить, нам обязательно надо все развинтить, как часовой мастер развинчивает часы, а когда решаемся сложить заново, то нам не хватает трех болтов. Часы, возможно, и пойдут, но болтов-то все равно нет. Это надо понимать.

Мы живем не в историческом пространстве. Сейчас нет исторического действия, и рекрутов нет. А что им делать сейчас? Историческое пространство обнулено. Оно свернулось. И получается, что время, окружающее нас, пессимистично, и его следует осмыслить. Видимо, нам предстоит жить вне исторического действия и исторического времени. Мы живем в средневековье, где вокруг идут войны и где мы дробимся на части. Религиозные войны — бессмысленные и беспощадные. Нужен кто-то, кто сможет предложить свой стиль во всем.

Мы уже говорили о посланиях папам и адамитах как отдельно взятой группе людей. Как писали единомышленники Дюрер и Микеланджело Страшный суд? Ведь он написан не так, как в русской церкви на западной стене. Они писали его исторически. Не эсхатологически, а исторически. И они первые указали на галлюцинаторное сознание и лжемудрость, когда она у тебя на голове, а не внутри. Они очень боялись печатного станка, ибо считали, что каждый дурак будет Библию переводить на другой язык. И такое случалось. Возьмем, к примеру, кальвинистов — страшные были люди. Лютер по сравнению с ними был просто ангелом. Реформатор Кальвин из Базеля — это был еще тот тип, который сжигал все, что было ему не по нутру.

У адамитов было великое прозрение по поводу технического прогресса, о котором они говорили. И дело совсем не в изобретении новых форм, а в их направленности на разрушение человека.

Для нашей темы очень важен этот образ, который следует понимать как очень большую метафору. Вспомним этих людей, которые жили на рубеже XV—XVI веков. Мы привыкли называть их гуманистами, но, если присмотреться, то можно увидеть, что они принадлежат к разным идеям, к разному выразительному опыту и культуре. Мы научились отличать итальянских гуманистов от реформаторской культуры, различать важные тенденции, определяющие художника и его деятельность. Когда Микеланджело пишет потолок Сикстинской капеллы, он принадлежит к расцвету итальянских гуманистов, но когда он пишет Страшный суд, он уже другой художник и человек. И мы уже точно знаем, что он находится в глубоком трагизме истории. А ведь это тот же самый Микеланджело.

Питер Брейгель «Мужицкий» — интереснейший немецкий художник, прямой современник Леонардо, Дюрера и Босха, живший одновременно с ними. Он был очень своеобразным явлением в художественном мире, не похожим ни на кого. Один из самых известных героев художественной, мировой истории, очень самобытный мастер. Он любил по-

Доминик Лампсония. Питер Брейгель (старший). 1572

вторять одни и те же сюжеты не потому, что они интересовали его как вариации на одну и ту же тему, а потому, что они были ему интересны. Например, Вавилонская башня. Она и Вавилонское столпотворение равны Страшному суду.

Не будем делить творчество Брейгеля на этапы. Посмотрим на него иначе, в другом ракурсе, как на великого мастера кисти. Он писал гениально и очень разнообразно. Но, с другой стороны, он был первый, а может быть, и единственный художник эпохи позднего Возрождения, которому было совершенно точно понятно историческое мышление в искусстве. Трудно назвать другого художника, которому был бы свойственен тот же самый историзм. И Вавилонская башня имеет к этому отношение. Это, так сказать, обреченность утопии: возьмемся за руки, друзья, чтобы не пропасть поодиночке. А давайте споем что-нибудь замечательное! А давайте вместе сделаем что-нибудь такое, чтобы спасти сразу все человечество! Ради этого мы даже человека можем убить, который нам мешает. И потом такое замечательное сделаем! Не было у него изначальной идеи взяться за руки и спеть, поскольку он был полностью на стороне адамитов. Поэтому он создает такие удивительные вещи. В этой башне заложена вселенская идея. Именно вселенская, а не историческая.

Эта башня стоит не только посреди Вселенной, она как бы вбирает в себя всю Вселенную. Посмотрим на фигуру царя Соломона — она мерцает. Почему? Потому что у царя Соломона было имя устроителя этого храма. Соломон построил храм весьма временный, но в идеях этого храма было нечто такое, что он существует до сих пор.

Саму архитектуру башни он делал в четырех или пяти вариантах. Это напоминает Босха: вы подходите и начинаете глазами не смотреть, а читать. По всем террасам ходят какие-то люди, технику возят. Обратите внимание на то, как Брейгель построил внутреннюю архитектуру. Храм в храме. Когда вы смотрите на это сооружение, оно напоминает что-то немыслимое, с точки зрения рукотворного строения. Это очень мощная рукотворность, необыкновенного масштаба. То же самое поражает в пирамидах и в готических соборах. Как можно было такое построить?

Это коллективный гений. Как говорил Булгаков, разруха у нас в головах. Построили все гениально. Когда вы смотрите на башню, то со всех сторон открывается такой центр Вселенной, где люди живут вместе, где они понимают друг друга. Но потом они рассыпаются на языки, то есть наступает взаимное непонимание. Отсутствие понимания. Отсутствие слуха. Мы не слышим друг друга, поэтому мы ничего и никогда не воздвигнем, даже если захотим.

Какие здесь поразительные детали, строительные приспособления! Люди строят, носят... Все рассыпалось, а они все равно делают — башня большая, они и не знают, что там с ней случилось.

Из великих ранних произведений Брейгеля следует обратить внимание еще на две картины. Первая картина — «Падение Икара». Только никакого падения мы здесь не видим, впрочем, как и самого Икара. Мы видим удивительную идиллическую картину жизни. Очень мирную. И у Босха, и Брейгеля есть одна замечательная особенность: у них Страшный суд происходит в головах, а природа как божье творение всегда невинна. Она необыкновенна чиста и величественна. Вот только человек у Господа не получился, что-то не заладилось. Но природу он создал прекрасную. Видимо, в первые дни все получалось так, как надо, а когда человека делал, видимо, подустал. К природе не придерешься: какая вода замечательная, какое солнце светит — благодать.

Самое замечательное в картине то, что здесь изображена сельская идиллия. Кораблик стоит, на мачту матросы карабкаются. В центре картины пастух на небо смотрит. Но он не видит никакого падения Икара — он греется на солнышке. Овечки пасутся беленькие. Посмотрите на пахаря: на нем алая рубаха и длинная безрукавка, которая лежит красивыми складками. Он поднимает пласты земли, и это соединение складок и пластов очень организует эту картину. Она притягивает к себе взгляды. И ты смотришь и говоришь: какая красота, настоящая идиллия! Пахарь, борозды, пастух с овечками, бесконечно спокойное море, безоблачное небо, корабль. Смотришь и думаешь: а при чем здесь Икар? Икар здесь все-таки есть — в море бултыхается. Икар свалился с неба, но это никому не интересно, никто на него не смотрит. Герой Икар, космонавт, Гагарин — первый к Солнцу полетел на крыльях и упал у берега, совсем рядом. И что? Тут что-нибудь шевельнулось? Нет. И это написал человек, который был гуманистом Возрождения. Какой героизм! Этим людям, которые греются на солнышке, их дела в миллион раз важнее, чем Гагарин со своим полетом.

Вторая картина — «Пословицы и поговорки». Существует неверное мнение, что художники эпохи Возрождения пропитаны фольклором, народной культурой. Но дело не в этом, а в том, что их интересовал человек, все равно какой. Они не делали разницы. Их интересовал человек из народа.

Эта картина написана с верхней точки. В некотором царстве, в некотором государстве... Как у Гоголя — в городе N. Со всеми атрибутами — с кабаком, домами, со всеми людьми, жизнь как она есть. И каждая группа иллюстрирует какую-нибудь одну пословицу или поговорку. Дай дураку богу молиться, он и лоб расшибет. Вот он стоит и бьет головой об стену. А здесь что имеется ввиду? За двумя зайцами погонишься... когда хочешь ухватить сразу два хлеба. Не поваляешь, не поешь. Тип вывалил кашу и собирает теперь. Брейгель показывает каждую из пословиц как драматургическое действо. Это просто грандиозно. Ничего более косного, обывательского и бессмысленного, чем так называемая народная мудрость нет. Что может быть глупее? Мещанская мудрость, которая тебя спасает. Это абсурд, и Брейгель создает абсурд, буквально показывая эту мысль. Еще Ахматова писала: «Нет дыма без огня — я не знаю лучшей формулировки человеческой подлости и низости. Этой фразой можно покрыть какое угодно вранье». Нет, дым без огня бывает. Она это по себе знала. Первый человек, а может быть последний, кто сказал: нет, есть дым без огня! И ты не окажешься дальше, если будешь тихо ехать. Это все мещанская абсурдность. Вот Брейгель и делает всех их средними обывателями города N. И они стали исполнителями этого абсурда, а он был лишь глубоким исследователем. Может быть, единственным в искусстве.

Нельзя забывать, что художники писали картины, которыми мы должны наслаждаться. Тогда не было ничего — ни телевидения, ни кино. И на живописи лежала великая нагрузка. Они были сразу одновременно и великими мастерами, и исследователями. Брейгель исследовал сознание и историю сознания, для него это стало наиважнейшей вещью.

Есть замечательная серия книг «Жизнь замечательных людей», и одна из них посвящена нидерландским художникам глазами их современников. Там один из современников Брейгеля рассказывает нам такую историю. Брейгель был влюблен в одну женщину незнатного происхождения, типа экономки. А она все время врала, у нее была такая потребность. И он в ней это ненавидел. Он повесил ей на шею деревяшку и сказал, что как только она соврет, он поставит зарубку и, когда места не останется, она должна будет уйти. И вот он ставил зарубки, где только можно, и сделал все возможное, чтобы она не ушла, а она все врала и врала, и зарубки ставить было уже негде. И тогда он взял и женился на женщине пристойной, своего круга, и жил с ней очень хорошо, хотя и без сумасшедшей любви. У него было два сына, и он передал своим сыновьям тайны мастерства. Но именно такие тайны, чтобы те всегда имели хлеб. Поэтому он научил одного из них писать пейзажи, голубое небо и зеленую траву, а второго научил писать смешные ярмарочные сценки — как на ярмарках танцуют, в шапочках, в передничках, под гармошку. И сыновья жили очень хорошо и богато, потому что отец о них здорово позаботился. А в своем завещании он велел уничтожить несколько своих вещей, чтобы семья не имела проблем. Он осознавал свою ответственность перед семьей. Он понимал, что его сыновья не станут такими, как он, так пусть живут хорошо и спокойно. Но жена у него оказалась очень умной, вроде невестки Ван Гога, ничего не сожгла. Поэтому то, что было велено сжечь, сожжено не было и осталось нам.

Точно так же он сделал картину «Игры детей». В ней есть замечательная история, но нет никаких детей. Там изображены взрослые дети. Брейгель первый заявил о том, что люди никогда не вырастают. Они достигают определенного возраста, а дальше не растут. Годы идут, а они не развиваются. Что показано в «Детских играх»? Все мальчики ездят на лошадках, а девочки играют в дочки-матери. А ведь это не девочки и не мальчики, это взрослые, у которых не развивается сознание. Годы идут — и ничего. Они играют в чехарду и перепрыгивают друг через друга.

Он утверждал: посмотрите вокруг себя — все женщины играют в дочки-матери. Кто бы воспитывал детей? Все время идет игра. Мужчины смотрят футбол, играют в домино, разговаривают о женщинах, еще что-то делают, но они не развиваются. У большинства людей на его картинах сознание человека развивается до определенного возраста.

Вот его гениальная картина «Страна лентяев». Она небольшая, и, как все его картины, ее надо внимательно разглядывать. Здесь мы видим валяющееся человечество в его основных сословиях.

Это крестьянин, ученый-философ и рыцарь. Когда смотришь на эти фигуры, они все спят. Никто не действует, все находятся в летаргическом угаре. Но они не просто спят, они еще и мечтают во сне. У одного мечта — яйцо, сваренное в нужной консистенции, у него срезана верхушечка и ложечка торчит. И это яйцо бежит к спящему со всех ног. А еще есть курица, книги валяются кругом. Что их объединяет? Ничегонеделанье и вера в то, что все придет само, как во сне. Брейгель очень смешно это изображает, у него ядовитый сарказм.

«Поклонение волхвов» — огромная картина, находится в лондонской Национальной галерее. Брейгель был невероятным рассказчиком. Они все были такими и пытались рассказать, каждый на своем языке аллегории и метафоры. Вот Мадонна держит в руках ребенка. Никто не понимает, что делается. Вот волхвы. На том, что в центре, одежда, завязанная сзади по цвету. Как это красиво! И болтается длинный пустой рукав, словно волхв безрукий и в рукаве ничего нет. Он какой-то длинный, плешивый, седой, какой-то... никакой. Это линия вся настолько активная, с точки зрения эмоционально изобразительной, что ее не надо разбирать по деталям, вы запоминаете ее сразу. Но особенно выделяется Каспар. Оторваться от этого негра в его одежде невозможно. Картина эта удивительна по своей драматургии. На Каспаре белая одежда из бедуинской валяной шерсти. Он так богато одет, такая элегантность! До какой же степени красиво написано это белое пятно, с каким вкусом он писал эти складки! Взглянем на еще одного персонажа: кто-то шепчет что-то ему на ухо. Это парень шепчет: «Ты посмотри сюда, слева». А кто там слева? Войска царя Ирода. Стоят, глазеют. И этот персонаж даже головы не поворачивает. А ему на ухо рассказывают, что будет, и чтобы он отсюда уносил ноги.

То есть для Брейгеля, как и для всякого адамита, очень интересна вся евангелическая история. Она имеет для него большое сакральное значение. Он рассматривает эту ситуацию с точки зрения психологического фактора. Вот сейчас уйдут волхвы, и он схватит свою жену с ребенком и убежит. Написано просто блестяще. Брейгель — великий психолог, историк, первый исследователь массового человеческого сознания, сознания как такового.

Но когда историческое время очень сильно ударило по нему, наступило время страха. Когда пришли испанцы, возникли слова «родина», «дом», «отечество». Именно с этим периодом связана его поэтическая серия «Времена года». Вся эта серия находится в Вене, там лучшее собрание Брейгеля. У Брейгеля утонченное чувство правды деталей, как у Феллини. Феллини тоже очень точен в деталях — и в одежде, и в еде, и в людях. Для изучения культуры времени это очень важно. Брейгель задолго до Фрейда и Юнга исследовал сознание и объяснил, что вся тайна находится внутри. У него есть все: и вес предметов и вещей, и повторение времени.

Конечно, ничего тут уже не поделаешь, но все равно он пришел к тому, от чего и ушел, сделав спираль в 3,5 поворота. И в той же самой точке сказал: нет, равнодушная природа будет красотою вечною сиять, а человечество обречено, потому что слепые останутся слепыми.

Брейгель, конечно, один из самых, если не самый трагический, безысходный и безнадежный художник в мире. Греческая трагедия — это всегда катарсис. Царь Эдип шикарно вышел из положения, потому что восстановил через осознание гармоническую мировую ось. Он восстановил ее в себе. Когда веронский герцог над горой трупов, окруженный Монтекки и Капулетти, произносит слова — это катарсис, это искупление, а здесь, как писал Окуджава, искупления не будет. Очень трудно назвать рядом с Брейгелем настоящего художника (современные ни в счет) такого класса, который бы так строил пространство и мог найти свой язык, свой мазок, свой цвет и пластику.

Мир за Нидерландами идти не мог — это была бы безвыходность. Мир должен был идти за итальянцами. У них была опера, у них живописцы, архитектура, развитие, за ними шла литература и поэзия. Они создали карнавал, а в нем все — и жизнь, и смерть.

А такой художник, как Грюневальдь, открыл XX век. Как вы можете видеть, он был еще тот оптимист. Не будем особо останавливаться на его биографии, но скажем, что был такой мастер Маттиас, Микеланджело о нем пишет, он был с ним в близости. Маттиас сам называл себя Грюневальдом. Он сам спрятал себя под псевдоним и под этим псевдонимом создал Изенгеймский алтарь для монастыря в Изенгейме. В 1916 году было сделано ис-

Маттиас Грюневальд. Автопортрет. 1512—1516.
Университетская библиотека, Нюрнберг

следование. Правда, сам алтарь был растащен по музеям, но автор, мастер этого алтаря, был отождествлен. Тем более, что о нем писал Дюрер.

Вопрос был запутанный, никто не мог понять, кто это такой. Грюневальда подделывали, делали копии. Он был художником, не похожим ни на кого, ни на одного из своих современников, ни на одного из своих последователей. Он написал четыре или пять «Распятий», в том числе «Распятие Христа» в Изенгеймском алтаре.

Крест сколочен из простых деревянных бревен, еле отструганных. К ним прибита доска, и вы видите прибитое тело. Посмотрите на пальцы — они кажутся обнаженными нервами. Вся картина написана на предельном напряжении истощенной нервной системы, на последнем напряжении истощения. Истоки этой стилистики уходят не в античность, как у всех, а в витражную готику. Грюневальд пользуется черным фоном и цвет кладет так, чтобы он смотрелся как витражный свет. Этот витражный алый, витражный белый, снова алый, необыкновенно написанный... и каждая из фигур находится в состоянии фантастического предельного перенапряжения. Если вы посмотрите, чему равны объемы этих фигур, то увидите, что они хрупки до невозможности. Какими хрупкими написаны Мария и Иоанн — это знак их тленности и их ломкости, невероятного страдания. Они истощены. Вот Иоанн, поддерживающий Богородицу: это алое и белое, и сведенные глаза, ее маленькое личико — только одни щеки. Пальцы — опять пальцы поставлены так, как будто это вопиют обнаженные нервы. Кровь струится из каждой поры. Каждая мышца подчеркнуто измучена, истерзана, это вопиющая от страдания человеческая плоть.

Был у Грюневальда один ученик — наш русский художник Николай Николаевич Ге. Россия имеет неизгладимую страсть к немцам. У России женская энергия, а у немцев мужская. Русские художники немцев обожали, все писали с немцев. Врубелю подавай одних немцев. Другое дело, что у них мало кто брал, но Ге — его настоящий и большой ученик. Он и в русском искусстве выделяется — взять, к примеру, все его Голгофы. Почему он стал учеником Грюневальда? Потому что он искал этого, он страдал. Потому что родина кричала. У немцев закричать в полную силу мог только он — Грюневальд. Дюрер мог закричать? Никогда. Он вообще предпочитал Италию. А Грюневальд кричал за всю лютеранскую Германию, за весь кошмар, который в ней творился, за всю кровь, которая в ней лилась. Вот он и есть тот самый немецкий крик Реформации. И Ге был такой же — ему было жалко Россию, Христа, мужика. Он должен был кричать. И надо было научиться это делать. И он научился. «Распятие» Грюневальда — это картина крика. И после мастера Грюневальда немцы больше вполголоса не разговаривали.

Что такое искусство? Предельно максимально-перенапряженная форма, выраженная через свет и жест. Это мы и видим в «Распятии»: предельное мышечное напряжение, тело кричит, Мария просто сломалась пополам. А палец-то какой, как гвоздь, и говорит: «Смотрите все! Сей человек в страдании за все человечество».

Грюневальд был создателем языка экспрессионизма. Не кто-нибудь другой, а он. Это «Распятие» даже безвкусно, очень безвкусно, но при экспрессионизме так и полагается, потому что они все предельно напрягают, они все время переходят за этот край.

Посмотрим на «Благовещение»: какой льется теплый, прозрачный свет, она молится за занавесочкой. Архангел Гавриил занимает собой треть картины. Он еле влезает, у него крылья не проходят, одежда не проходит. С шумом он заполняет собой все. Совсем не так, как у итальянцев. У них он как будто говорит: «Здравствуйте! Вы позволите?» А здесь никто никого не спрашивает. Он врывается с шумом, вихрем, ураганом. Какие у него цвета! Чтобы какой-нибудь художник когда-нибудь взял этот ядовитый тон, да поместил его с красносливовым... А Грюневальд это делает, он подчеркивает агрессивность, активность. И пальцы его такие же. А она такая тихая, лицо плоское, совсем никакое. Растрепанные волосы... Кто она? Да никто. И что теперь с этим делать? А кто ее спрашивает? Максимальная драматургия: вихрь вошел в этом желто-сливовом одеянии, а здесь все красное и она, такая маленькая и зажатая. Воскрешение с Преображением — это невозможно описать. Он вырывается из этого склепа, яркие цвета — желтизна со сливой, неистовый свет, и он на ваших глазах сам становится светом.

Какая замечательная, просто удивительная часть изумительного алтаря. Это шедевр, которым надо заканчивать. Фрау, которая ни к чему не была готова. А ребенок растет, она его из себя вынула, искупала, вот тут даже горшок детский — все атрибуты на месте. И она его поддерживает на руках. Она тонкими пальцами поддерживает младенца и смотрит на него неотрывно. Какие ее переполняют чувства, какое ликование идет! Небеса ликуют, льется божественный литургический свет — неестественный, необычный. И, конечно, ангелы играют, но как они играют, выводя мелодию торжества! И это все изображение чуда, изображение великого события. Чудо мира, света и цвета, такого ликования души, что никакой музыкой не перебить. Как бы она ни играла, как бы свет ни сиял — невозможно выразить, потому что это запредельно. Потому что Грюневальд — основоположник особого стиля, основоположник живописного немецкого экспрессионизма. Он был великим немцем, величайшим человеком своей эпохи и самым большим немцем из всех немцев. Он создал путь немецкой изобразительной культуры. До XV века она была средневековой, но с особым привкусом: графическо-ювелирным. А здесь мастерство и гениальность.

Он умер в один год с Дюрером. И все написали: какая потеря! Каких людей потерял мир! Очень много сохранилось документов. Это очень страшно, потому что таких мастеров больше нет.

Содержание

Паола Волкова

МОСТ ЧЕРЕЗ БЕЗДНУ

Мистики и гуманисты

12+

Подписано в печать 11.02.2016. Формат 60x90 1/16.
Печать офсетная. Усл. печ. л. 18
Доп. тираж 3000 экз. Заказ № 1638.

Общероссийский классификатор продукции
ОК-005-93, том 2; 953000 – книги и брошюры

Ведущий редактор Анна Рахманова
Научный редактор Мария Плясовских
Литературный редактор Мария Плясовских
Корректор Александра Михина
Дизайн обложки Иван Ковригин
Подбор и подготовка иллюстративного материала:
Анна Рахманова и Игнат Соловей
Компьютерная верстка Анны Грених

ООО «Издательство АСТ»
129085, Москва, Звездный бульвар, д. 21,
строение 3, комната 5.

«Баспа Аста» деген ООО
129085, г. Мәскеу, жұлдызды гүлзар, д. 21, 3 құрылым, 5 бөлме
Біздің электрондық мекенжайымыз: www.ast.ru

Қазақстан Республикасында дистрибьютор
және өнім бойынша арыз-талаптарды қабылдаушының
өкілі «РДЦ-Алматы» ЖШС, Алматы қ., Домбровский көш., 3«а», литер Б, офис 1.
Тел.: 8(727) 2 51 59 89,90,91,92
факс: 8 (727) 251 58 12 вн. 107; E-mail: RDC-Almaty@eksmo.kz
Өнімнің жарамдылық мерзімі шектелмеген.
Өндірген мемлекет: Ресей
Сертификация қарастырылмаған

Отпечатано с готовых файлов заказчика
в АО «Первая Образцовая типография»,
филиал «УЛЬЯНОВСКИЙ ДОМ ПЕЧАТИ»
432980, г. Ульяновск, ул. Гончарова, 14

МОСТ
ЧЕРЕЗ
БЕЗДНУ